수능기초 **10일 격파** 과학탐구 영역 **화학Ⅰ**

# 구성과 활용

**그림으로 생각열기**

**미리보기**
오늘 학습할 내용을 그림으로 미리 살펴보며 재미있게 학습하도록 구성하였습니다.

**공부할 내용**
해당 일차에서 공부할 내용을 정리하였습니다.

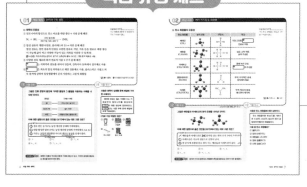

**핵심 유형 체크**

**핵심 체크**
수능에서 다루게 되는 필수 개념을 정리하였습니다.

**기출 유형 & 기출 유사**
수능에서 출제되었던 문제를 변형한 기출 유형과 기출 유사 문제를 풀어보면서 개념 이해를 완벽히 익힐 수 있게 하였습니다.

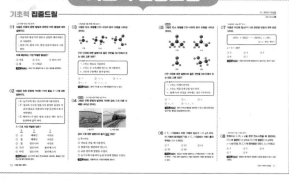

**기초력 집중드릴**

**기초력 집중드릴**
수능 기출 문제를 변형하여 실제 수능 유형을 연습하면서 대비할 수 있게 하였습니다.

# 차례

10일 동안 공부할 날짜를 정하여 계획에 따라 공부해 보세요.

# 01 일차 화학의 첫걸음

## 오늘 공부할 내용 미리보기

### 개념 01 화학과 우리 생활

### 개념 02 여러 가지 탄소 화합물

**개념 03 아보가드로 법칙**

**개념 04 몰**

● **화학의 유용성**

① 암모니아의 합성으로 질소 비료를 대량 생산 ➔ 식량 문제 해결

$$N_2 + 3H_2 \xrightarrow[\text{200기압, 500~600 ℃}]{\text{산화 철(촉매)}} 2NH_3$$

② 합성 섬유의 개발(나일론, 폴리에스터 등) ➔ 의류 문제 해결

합성 섬유는 천연 섬유의 단점을 보완한 섬유로 석탄, 석유 등을 원료로 대량 생산
이 가능해 값이 싸고 다양한 기능이 있는 의복을 이용할 수 있게 함.

[예] 나일론: 최초의 합성 섬유로, 질기고 신축성이 좋아 스타킹, 그물 등의 재료로 사용

③ 다양한 건축 재료와 화석 연료의 이용 ➔ 주거 문제 해결

❶ [　　　]는 석회석과 점토를 섞어서 만들며, 건축이나 토목에서 접착제로 사용

④ ❷ [　　　]은 최초의 합성 의약품으로 해열 진통제로 사용, 플라스틱은 가볍고 외
부 충격에 강하며 일상생활에서 흔히 사용하는 고분자 화합물

답 | ❶ 시멘트  ❷ 아세틸살리실산(아스피린)

수능격파 TiP
우리 생활에 영향을 준 물질들 위
주로 기억해야 한다.

---

**01** 기출 유형

그림은 인류 문명의 발전에 기여한 물질과 그 물질을 이용하는 사례를 나
타낸 것이다.

[물질]　　　　　　　[이용 사례]

철 ——— 기차 선로, 농기구

암모니아 ——— 질소 비료

석유 ——— 자동차 연료, 플라스틱

이에 대한 설명으로 옳은 것만을 〈보기〉에서 있는 대로 고른 것은?

┌─ 보기 ├─
ㄱ. 철로 만든 농기구는 농업 생산량 증대에 기여하였다.
ㄴ. 대량 합성된 암모니아는 농업 생산량 증대에 기여하였다. 비료 생산
ㄷ. 석유는 교통의 발달뿐만 아니라 새로운 물질을 탄생시켰다.
└──────────────자동차 연료─────────플라스틱

① ㄱ　　　　　② ㄴ　　　　　③ ㄱ, ㄷ

④ ㄴ, ㄷ　　　　⑤ ㄱ, ㄴ, ㄷ

문제풀이 **TIP** 화학이 인류의 역사에 어떻게 기여해 왔는지 알고, 각각의 분야에 해당되
는 예시를 알아두어야 한다.

**01** 기출 유사

다음은 화학이 실생활 문제 해결에 기여
한 사례이다.

┌──────────────────────┐
하버와 보슈는 질소 기체와 수소 기
체로부터 암모니아를 합성하여
(가) 의 대량 생산에 공헌하였고,
(가) 은/는 식량 부족 문제 해결에
크게 기여하였다.
└──────────────────────┘

**(가)로 가장 적절한 것은?**

① 유리　②  나일론　③  시멘트

④  아스피린　⑤  질소 비료

## 탄소 화합물의 유용성

| 탄소 화합물 | 분자 모형 | 구조식 | 특징 |
|---|---|---|---|
| 메테인 ($CH_4$) | | $\begin{array}{c} H \\ | \\ H-C-H \\ | \\ H \end{array}$ | 가장 간단한 ❶ ____, 연료로 이용 |
| 에탄올 ($C_2H_5OH$) | | $\begin{array}{c} H\ \ H \\ |\ \ \ | \\ H-C-C-O-H \\ |\ \ \ | \\ H\ \ H \end{array}$ | 살균, 소독 작용, 술의 주성분 |
| 아세트산 ($CH_3COOH$) | | $\begin{array}{c} H\ \ \ O \\ |\ \ \ \| \\ H-C-C-O-H \\ | \\ H \end{array}$ | 물에 녹아 산성, ❷ ____의 주성분 |
| 폼알데하이드 ($HCHO$) | | $\begin{array}{c} O \\ \| \\ C \\ H\ \ \ H \end{array}$ | 무색, 자극적인 냄새, 접착제의 원료 |
| 아세톤 ($CH_3COCH_3$) | | $\begin{array}{c} H_3C\ \ \ \ CH_3 \\ C \\ \| \\ O \end{array}$ | 무색, 특유의 냄새, 매니큐어 제거제 |

수능격파 TiP
주요 탄소 화합물의 특징과 구조를 기억해야 한다.

답 | ❶ 탄화수소  ❷ 식초

**02** 기출 유형

| 2020년 3월 학평 2번 유사 |

그림은 에탄올과 아세트산의 분자 모형을 나타낸 것이다.

이에 대한 설명으로 옳은 것만을 〈보기〉에서 있는 대로 고른 것은?

┌ 보기 ├
ㄱ. 에탄올과 아세트산은 모두 분자당 산소 원자 수가 1이다. 아세트산은 2
ㄴ. 아세트산은 식초의 성분으로 신맛이 난다.
ㄷ. 한 분자에 포함된 탄소 원자 수는 에탄올과 아세트산이 같다. 모두 2

① ㄱ        ② ㄷ        ③ ㄱ, ㄴ
④ ㄴ, ㄷ        ⑤ ㄱ, ㄴ, ㄷ

문제풀이 TIP  분자의 구조와 함께 탄소 화합물의 특징을 물어보는 경우가 자주 출제된다.

**02** 기출 유사

다음은 탄소 화합물에 대한 설명이다.

> 탄소 화합물이란 탄소(C)를 기본으로 수소(H), 산소(O), 질소(N) 등이 결합하여 만들어진 화합물이다.

다음 중 탄소 화합물은?
① 물($H_2O$)
② 암모니아($NH_3$)
③ 에탄올($C_2H_5OH$)
④ 염화 칼륨($KCl$)
⑤ 산화 칼슘($CaO$)

### 🔵 화학식량

① 원자량: 원자들의 상대적 질량

② 분자량: 분자들을 구성하는 모든 원자들의 ❶ [　　　]을 합한 값

③ 화학식량: 화학식을 구성하는 모든 원자들의 원자량을 합한 값

### 🔵 몰과 질량

① 몰(mol): 원자, 분자, 이온 등과 같은 작은 입자의 개수를 나타내는 묶음 단위 ➡ 1몰＝입자 $6.02 \times 10^{23}$개

② 1몰의 질량: 화학식량에 g을 붙인 값

③ 물질의 양(mol) ＝ $\dfrac{❷ [　　　](g)}{1몰의 질량(g/mol)}$

④ 아보가드로 법칙: 모든 기체는 분자의 종류에 관계없이 0 ℃, 1기압에서 22.4 L의 부피 속에 $6.02 \times 10^{23}$개의 분자를 포함

**수능격파 TiP** 🤚
물질의 질량과 몰, 입자와의 관계를 계산할 수 있어야 한다.

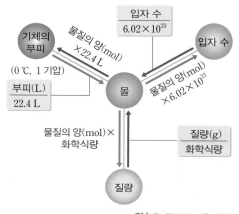

답| ❶ 원자량 ❷ 질량

---

**03 기출 유형**

| 2019년 수능 9번 유사 |

표는 $t$ ℃, 1기압에서 질량이 같은 기체 (가)와 (나)에 대한 자료이다.

| 기체 | 분자식 | 부피(L) |
|------|--------|---------|
| (가) | $XY_2$ | 22 1몰 |
| (나) | $Z_2$ | 11 0.5몰 |

이에 대한 설명으로 옳은 것만을 〈보기〉에서 있는 대로 고른 것은? (단, X~Z는 임의의 원소 기호이고, $t$ ℃, 1기압에서 기체 1몰의 부피는 22 L이며, 아보가드로수는 $N_A$이다.)

┌ 보기 ┐
ㄱ. 원자량은 X⧸Z이다. — Z>X
ㄴ. 분자량은 $Z_2 > XY_2$이다. — 기체의 질량이 같을 때 분자량과 몰(부피)은 반비례
ㄷ. (나)에서 $Z_2$의 원자 수는 $N_A$이다. — $0.5 \times 2 \times N_A$
└──────┘

① ㄱ          ② ㄴ          ③ ㄱ, ㄷ
④ ㄴ, ㄷ      ⑤ ㄱ, ㄴ, ㄷ

**문제풀이 ✔TiP** 같은 온도, 같은 압력에서 같은 부피에는 같은 양(mol)의 분자가 들어 있다.

---

**03 기출 유사**

표는 일정한 온도와 압력에서 기체 (가)~(다)에 대한 자료이다. (가)~(다)에 각각 들어 있는 수소 원자의 전체 질량은 같다.

| 기체 | (가) | (나) | (다) |
|------|------|------|------|
| 분자식 | $H_2$ | $NH_3$ | $CH_4$ |
| 기체의 양 | $N_A$개 | $V$ L | $x$ g |

(가)~(다)에 대한 설명으로 옳은 것만을 〈보기〉에서 있는 대로 고른 것은? (단, H, C, N의 원자량은 각각 1, 12, 14이며, $N_A$는 아보가드로수이다.)

┌ 보기 ┐
ㄱ. $x = 8$이다.
ㄴ. (가)의 부피는 $\dfrac{2V}{3}$ L이다.
ㄷ. (다)에 들어 있는 전체 원자 수는 $2N_A$이다.
└──────┘

① ㄱ          ② ㄴ          ③ ㄷ
④ ㄱ, ㄴ      ⑤ ㄴ, ㄷ

① 화학 반응식 만들기: 화학 반응 전후에 원자의 종류와 ❶ _____ 가 같은 점을 이용하여 계수를 맞춰 화학 반응식을 완성

② 화학 반응식의 계수의 의미

$$계수비 = 몰비 = 분자 수비 = ❷\ \boxed{\phantom{xxx}}\ (기체의\ 경우) \neq 질량비$$

③ 화학 반응식의 양적 관계: 화학 반응식에서 몰(mol)로 환산하여 계산된 양(mol)을 다시 입자 수, 질량, 부피(기체의 경우)로 환산

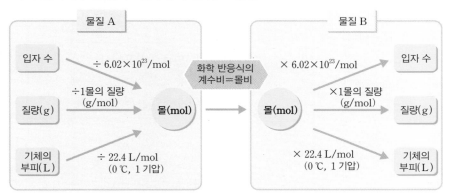

**수능격파 TiP**
화학 반응식에서 계수비는 반응 몰비와 같으나 질량비와는 다름을 이해한다.

답| ❶ 수  ❷ 부피비

---

| 2021년 수능 5번 유사 |

다음은 2가지 반응의 화학 반응식이다.

- $Zn(s) + 2HCl(aq) \longrightarrow aZnCl_2(aq) + bH_2(g)$
- $C_2H_4(g) + 3O_2(g) \longrightarrow 2CO_2(g) + \boxed{\ ㉠\ }(g)$

이에 대한 설명으로 옳은 것만을 〈보기〉에서 있는 대로 고른 것은?

┤ 보기 ├
ㄱ. ㉠은 $H_2O$이다. $- 2H_2O$
ㄴ. $a+b=2$이다. $- a=1,\ b=1$
ㄷ. 2가지 반응에서 반응 전보다 반응 후의 질량이 줄어든다. $-$ 일정

① ㄱ          ② ㄴ          ③ ㄷ
④ ㄴ, ㄷ      ⑤ ㄱ, ㄴ, ㄷ

**문제풀이 TiP** 반응 전과 후에 물질의 양(mol)은 변하지 않는다.

---

다음은 메테인의 연소 반응식이다.

$$CH_4(g) + 2O_2(g) \longrightarrow CO_2(g) + 2H_2O(l)$$

메테인 8 g을 연소시킬 때 생성되는 이산화 탄소의 부피를 구하기 위해 필요한 것만을 〈보기〉에서 있는 대로 고른 것은?

┤ 보기 ├
ㄱ. 이산화 탄소의 분자량
ㄴ. 메테인의 분자량
ㄷ. 실험 온도와 압력에서 기체 1몰의 부피

① ㄱ          ② ㄴ          ③ ㄱ, ㄷ
④ ㄴ, ㄷ      ⑤ ㄱ, ㄴ, ㄷ

# 기초력 집중드릴

| 2014년 수능 1번 유사 |

**01** 다음은 인류의 문명 발달과 관련된 어떤 물질에 대한 설명이다.

> • 자동차와 항공기의 연료나 산업의 에너지원으로 사용된다.
> • 플라스틱, 합성 고무, 합성 섬유의 원료로 사용된다.

이에 해당하는 가장 적절한 물질은?

① 석유 ② 수소 ③ 암모니아
④ 철 ⑤ 나일론

**해결 Point** 여러 가지 물질이 될 수 있는 원료를 생각한다.

**02** 다음은 인류 문명에 기여한 3가지 물질 X~Z에 대한 설명이다.

> • X: 농기구와 철근 콘크리트에 이용되었다.
> • Y: 질소와 수소를 반응시켜 합성한 물질로 비료의 원료로 사용되어 식량 증산에 크게 기여하였다.
> • Z: 캐러더스가 만든 합성 섬유로 매우 질기고 유연하며 값이 싸다.

X~Z로 가장 적절한 것은?

| | X | Y | Z |
|---|---|---|---|
| ① | 금 | 메테인 | 나일론 |
| ② | 철 | 메테인 | 나일론 |
| ③ | 철 | 암모니아 | 나일론 |
| ④ | 구리 | 암모니아 | 폴리에스터 |
| ⑤ | 아연 | 암모니아 | 폴리에스터 |

**해결 Point** 농기구와 철근 콘크리트에 사용되는 물질은 단단하고 잘 휘지 않아야 한다.

| 2020년 4월 학평 2번 유사 |

**03** 그림은 탄소 화합물 (가)~(다)의 분자 모형을 나타낸 것이다.

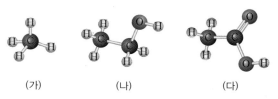

(가)     (나)     (다)

(가)~(다)에 대한 설명으로 옳은 것만을 〈보기〉에서 있는 대로 고른 것은?

> ── 보기 ──
> ㄱ. (가)는 연료로 사용된다.
> ㄴ. (나)는 손 소독제를 만드는 데 사용된다.
> ㄷ. (다)의 수용액은 염기성이다.

① ㄱ ② ㄱ, ㄴ ③ ㄱ, ㄷ
④ ㄴ, ㄷ ⑤ ㄱ, ㄴ, ㄷ

**해결 Point** 분자 구조를 보고 어떤 물질인지 알 수 있다.

신유형 | 2016년 4월 학평 1번 유사 |

**04** 그림은 인류 문명의 발전에 기여한 금속 X의 이용 사례를 나타낸 것이다.

▲ 농기구     ▲ 기차 선로

금속 X에 대한 설명으로 옳지 <u>않은</u> 것은?

① Fe이다.
② 비료를 만들 때 사용한다.
③ 철광석을 제련하여 얻는다.
④ 교통 발달에 영향을 주었다.
⑤ 농기구에 이용되어 농업 발전에 영향을 주었다.

**해결 Point** 공통적으로 사용된 물질을 찾는다.

**신유형**

**05** 그림은 탄소 화합물 (가)~(라)의 분자 모형을 나타낸 것이다.

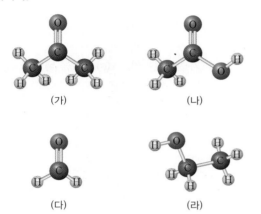

(가)    (나)

(다)    (라)

(가)~(라)에 대한 설명으로 옳은 것만을 〈보기〉에서 있는 대로 고른 것은?

┤ 보기 ├
ㄱ. (가)는 아세트산이다.
ㄴ. (나)는 새집 증후군을 일으킨다.
ㄷ. 물에 녹아 산성을 나타내는 것은 1가지이다.

① ㄱ          ② ㄴ          ③ ㄷ
④ ㄴ, ㄷ      ⑤ ㄱ, ㄴ, ㄷ

**해결 Point** 분자 구조로 물질을 알아낼 수 있다. 새집 증후군을 일으키는 물질은 폼알데하이드이다.

**06** 0 °C, 1기압에서 어떤 기체의 밀도가 1.25 g/L이다. 이 기체의 분자량은? (단, 0 °C, 1기압에서 기체 1몰의 부피는 22.4 L이다.)

① 7          ② 12          ③ 14
④ 25         ⑤ 28

**해결 Point** 밀도는 부피당 질량이고, (기체의 밀도)×(기체 1몰의 부피)=기체 1몰의 질량이다. 이를 이용하면 기체의 분자량을 알 수 있다.

| 2020년 수능 3번 유사 |

**07** 다음은 이산화 질소($NO_2$)와 관련된 반응의 화학 반응식이다.

$$aNO_2 + bH_2O \longrightarrow 2HNO_3 + cNO$$
$$(a\sim c: \text{반응 계수})$$

$a+b+c$는?

① 3          ② 4          ③ 5
④ 6          ⑤ 7

**해결 Point** 반응 전과 후에 생성되거나 없어지는 원자가 없다.

| 2016년 수능 15번 유사 |

**08** 탄화수소 $C_xH_y$ $a$ g을 완전 연소시켰을 때 생성되는 $CO_2$의 질량은 4.4 g이고, $H_2O$의 질량은 3.6 g이다. $x+y$는? (단, H, C, O의 원자량은 각각 1, 12, 16이다.)

① 4          ② 5          ③ 6
④ 7          ⑤ 8

**해결 Point** 물질의 분자량과 질량을 이용해 물질의 양(mol)을 구한다.

**09** <sup>신유형</sup> 다음은 물질을 구성하는 입자 수에 대한 자료이다.

- 포도당($C_6H_{12}O_6$) 1몰에 들어 있는 분자의 양(mol)은 $a$이다.
- 아세트산($CH_3COOH$) 1몰에 들어 있는 H 원자의 양(mol)은 $b$이다.
- 염화 칼슘($CaCl_2$) 1몰에 들어 있는 이온의 양(mol)은 $c$이다.

$a \sim c$를 비교한 것으로 옳은 것은?

① $a > b > c$  　② $a > c > b$  　③ $b > a > c$
④ $b > c > a$  　⑤ $c > b > a$

**해결 Point** 분자와 원자, 이온을 구별하여 계산한다.

**10** 0 ℃, 1기압에서 5.6 L의 부피를 차지하는 기체 $X_2$의 질량을 측정하였더니 8.0 g이었다.
이에 대한 설명으로 옳은 것만을 〈보기〉에서 있는 대로 고른 것은? (단, X는 임의의 원소 기호이고, 0 ℃, 1기압에서 기체 1몰의 부피는 22.4 L이며, 아보가드로수는 $6.0 \times 10^{23}$이다.)

┌─ 보기 ├─
ㄱ. 기체 $X_2$의 분자 수는 $3.0 \times 10^{23}$개이다.
ㄴ. X 원자의 양은 1몰이다.
ㄷ. X의 원자량은 16이다.

① ㄱ  　② ㄴ  　③ ㄷ
④ ㄱ, ㄴ  　⑤ ㄴ, ㄷ

**해결 Point** 기체의 부피와 질량을 통해 문제에서 요구하는 것을 해결한다.

| 2019년 수능 18번 유사 |

**11** 다음은 A($g$)가 분해되어 B($g$)와 C($g$)를 생성하는 반응의 화학 반응식이다.

$$2A(g) \longrightarrow bB(g) + C(g) \ (b\text{는 반응 계수})$$

그림 (가)는 실린더에 A($g$) $w$ g을 넣었을 때를, (나)는 반응이 완결되었을 때를 나타낸 것이다. (가)와 (나)에서 실린더 속 기체의 부피는 각각 2 L, 5 L이다.

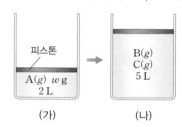

(가)  　　　　(나)

$b$는?

① 1  　② 2  　③ 3
④ 4  　⑤ 5

**해결 Point** 반응 전과 후의 기체의 부피와 양(mol)은 비례한다.

(신유형)

**12** 그림은 반응 용기에 물질 $X_2$와 $Y_2$를 넣었을 때 일어나는 반응을 모형으로 나타낸 것이다.

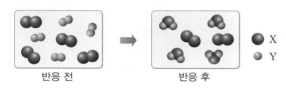

이에 대한 설명으로 옳은 것만을 〈보기〉에서 있는 대로 고른 것은? (단, X와 Y는 임의의 원소 기호이다.)

┌ 보기 ┐
ㄱ. 화학 반응식은 $X_2 + Y_2 \longrightarrow 2XY$이다.
ㄴ. 반응 전과 후의 용기 속 물질의 전체 질량은 같다.
ㄷ. 용기에 $Y_2$를 더 첨가하면 생성물의 양이 증가한다.

① ㄱ  ② ㄷ  ③ ㄱ, ㄴ
④ ㄴ, ㄷ  ⑤ ㄱ, ㄴ, ㄷ

해결 Point 그림을 보고 화학 반응식을 만들어낼 수 있어야 한다.

**13** 화학 반응식을 나타낸 것으로 옳은 것만을 〈보기〉에서 있는 대로 고른 것은?

┌ 보기 ┐
ㄱ. $N_2(g) + O_2(g) \longrightarrow 2NO(g)$
ㄴ. $CH_4(g) + 2O_2(g) \longrightarrow CO_2(g) + 2H_2O(l)$
ㄷ. $2Fe_2O_3(s) + 3C(s) \longrightarrow 4Fe(s) + 3CO_2(g)$

① ㄱ  ② ㄷ  ③ ㄱ, ㄴ
④ ㄴ, ㄷ  ⑤ ㄱ, ㄴ, ㄷ

해결 Point 화학 반응식의 계수를 확인한다.

**14** 그림은 일정한 온도와 압력에서 부피가 같은 용기 (가)~(다)에 기체 $X_2$, $Y_2$, $ZX_2$가 각각 들어 있는 모습을 나타낸 것이다.

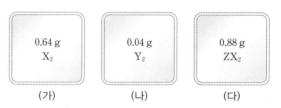

| 0.64 g | 0.04 g | 0.88 g |
| $X_2$ | $Y_2$ | $ZX_2$ |
| (가) | (나) | (다) |

이에 대한 설명으로 옳은 것만을 〈보기〉에서 있는 대로 고른 것은?

┌ 보기 ┐
ㄱ. 분자량은 $X_2$가 $Y_2$의 6배이다.
ㄴ. $X_2$, $Y_2$, $ZX_2$ 중 기체의 밀도는 $ZX_2$가 가장 크다.
ㄷ. X와 Z의 원자량의 비는 4 : 3이다.

① ㄱ  ② ㄴ  ③ ㄱ, ㄷ
④ ㄴ, ㄷ  ⑤ ㄱ, ㄴ, ㄷ

해결 Point 같은 온도와 압력에서 기체의 부피가 같으면 같은 양(mol)의 기체가 들어 있다.

**15** 다음은 3가지 물질에 대한 자료이다.

> (가) $3.0 \times 10^{23}$개의 $CO_2$
> (나) 2몰의 $O_2$
> (다) 14 g의 $N_2$

이에 대한 설명으로 옳은 것만을 〈보기〉에서 있는 대로 고른 것은? (단, C, N, O의 원자량은 각각 12, 14, 16이고, 아보가드로수는 $6.0 \times 10^{23}$이다.)

┤ 보기 ├
ㄱ. 물질의 양(mol)은 (다)>(가)>(나)이다.
ㄴ. 물질의 질량은 (나)>(가)이다.
ㄷ. 전체 원자 수는 (나)가 (다)의 4배이다.

① ㄱ      ② ㄷ      ③ ㄱ, ㄴ
④ ㄴ, ㄷ      ⑤ ㄱ, ㄴ, ㄷ

**해결 Point** 분자의 양(mol)을 질량, 입자 수로 바꾼다.

(신유형)

**16** 그림과 같이 실린더에서 일산화 탄소($CO$)와 산소($O_2$)를 반응시켰더니 반응 $2CO(g) + O_2(g) \longrightarrow 2CO_2(g)$이 일어나 반응물이 모두 소모되었다.

CO(g) 1몰
O₂(g) 0.5몰

이에 대한 설명으로 옳은 것만을 〈보기〉에서 있는 대로 고른 것은? (단, 반응 전후 온도 변화는 없다.)

┤ 보기 ├
ㄱ. 반응 전과 후 실린더 속 기체의 부피비는 3 : 2이다.
ㄴ. 실린더에 들어 있는 원자의 종류와 수는 일정하다.
ㄷ. 실린더에 들어 있는 전체 분자 수는 반응 후 줄어든다.

① ㄱ      ② ㄴ      ③ ㄱ, ㄷ
④ ㄴ, ㄷ      ⑤ ㄱ, ㄴ, ㄷ

**해결 Point** 화학 반응식에서 반응 계수비는 기체의 몰비와 같다.

**17** 표는 $X(g) + Y(g) \longrightarrow 2Z(g)$의 화학 반응식에 대한 반응 전후의 기체의 부피를 나타낸 것이다.

| 기체 | X | Y | Z |
|---|---|---|---|
| 반응 전 부피 (mL) | ㉠ | 50 | 0 |
| 반응 후 부피 (mL) | 50 | ㉡ | 100 |

이에 대한 설명으로 옳은 것만을 〈보기〉에서 있는 대로 고른 것은? (단, 온도와 압력은 일정하다.)

┤ 보기 ├
ㄱ. 반응 전 기체 X와 Y의 부피비는 2 : 1이다.
ㄴ. ㉠은 100, ㉡은 0이다.
ㄷ. 반응 후에 기체 Y 50 mL를 더 넣어 주면 기체 X는 모두 소모된다.

① ㄱ      ② ㄷ      ③ ㄱ, ㄴ
④ ㄴ, ㄷ      ⑤ ㄱ, ㄴ, ㄷ

**해결 Point** 계수비＝반응 몰비이다.

| 2016년 9월 모평 19번 유사 |

**18** 다음은 A와 B가 반응하여 C가 생성되는 화학 반응식 이다.

$$A(g) + bB(g) \longrightarrow cC(g) \ (b, c는 반응 계수)$$

그림은 A가 들어 있는 실린더에 B를 넣고 반응시켰을 때, B의 질량에 따른 전체 기체의 부피를 나타낸 것이 며, ㉠과 ㉡에서 C의 질량은 같다.

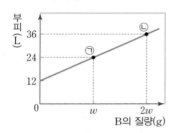

$b-c$는? (단, 온도와 압력은 20 ℃, 1기압으로 일정하 며, 기체 1몰의 부피는 24 L이다.)

① −2          ② −1          ③ 0

④ 1            ⑤ 2

해결 Point ㉠과 ㉡에서 C의 질량이 같다는 점을 통해 ㉠에서 반응이 완결되었다는 것을 유추할 수 있다.

신유형

**19** 표는 기체 AB와 $B_2$가 반응하여 기체 C를 생성하는 반응에서 반응 전과 후 기체의 부피를 나타낸 것이다.

| 반응 전 부피(L) | | 반응 후 전체 부피(L)<br>(C의 부피 + 남은 기체의 부피) |
|---|---|---|
| AB | $B_2$ | |
| 4 | 1 | 4 |
| 4 | 2 | 4 |
| 4 | 3 | 5 |
| 4 | 4 | 6 |

C의 분자식은? (단, 온도와 압력은 일정하다.)

① $AB_2$          ② $AB_3$          ③ $A_2B$

④ $A_2B_4$         ⑤ $A_2B_6$

해결 Point 반응이 완결되는 지점을 찾고, 계수의 관계를 구한다.

| 2014년 3월 학평 7번 유사 |

**20** 다음은 기체 $X_2$와 $Y_2$가 반응하여 기체 $XY_3$가 생성되 는 반응의 화학 반응식이다.

$$aX_2(g) + bY_2(g) \longrightarrow cXY_3(g)$$
$$(a \sim c는 반응 계수)$$

그림과 같이 $X_2(g)$ 1몰과 $Y_2(g)$ 4몰을 용기에 넣고 어 느 한 기체가 모두 소모될 때까지 반응시켰다. 반응 후 용기에 들어 있는 물질은 나타내지 않았다.

이에 대한 설명으로 옳은 것만을 〈보기〉에서 있는 대로 고른 것은? (단, X, Y는 임의의 원소 기호이다.)

┌─ 보기 ┐
ㄱ. $a+b>2c$이다.
ㄴ. (나)에는 $Y_2(g)$가 남아 있다.
ㄷ. 전체 기체의 몰비는 (가) : (나)=5 : 3이다.

① ㄱ              ② ㄴ              ③ ㄱ, ㄷ

④ ㄴ, ㄷ          ⑤ ㄱ, ㄴ, ㄷ

해결 Point 반응식의 계수를 먼저 구한다.

# 02 일차 몰 농도와 원자의 구조

## 오늘 공부할 내용 미리보기

### 개념 01 용액의 농도

### 개념 02 원자의 구성 입자

개념 **03** 수소 원자의 전자 전이

개념 **04** 오비탈

### ◎ 몰 농도

① 몰 농도: 용액 1 L 속에 녹아 있는 용질의 양(mol)으로 단위는 M 또는 mol/L를 사용

$$몰\ 농도(M) = \frac{용질의\ 양(mol)}{용액의\ 부피(L)}$$

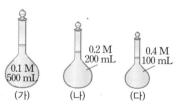

**수능격파 TiP**
같은 몰 농도 용액에서 입자 수의 비교가 가능해야 한다.

② 묽힌 용액의 몰 농도 구하기: 묽히기 전과 묽힌 후의 용질의 양(mol)이 **❶** 　　　　는 것을 이용

$$M_A V_A = M_B V_B$$

$(M_A, V_A$: 묽히기 전 몰 농도와 부피, $M_B, V_B$: 묽힌 후 몰 농도와 부피)

③ 혼합 용액의 몰 농도 구하기: 혼합하기 전과 혼합 후 **❷** 　　　　의 양(mol)은 같음.

전체 용질의 양$(mol) = (M \times V) + (M' \times V') = M'' \times V''$

$$혼합\ 용액의\ 몰\ 농도(M'') = \frac{전체\ 용질의\ 양(MV + M'V')}{혼합\ 용액의\ 부피(V + V')}$$

**답|❶** 같다  **❷** 용질

---

**01** 기출 유형

| 2020년 3월 학평 15번 유사 |

그림은 포도당 수용액 (가)~(나)를 나타낸 것이다.

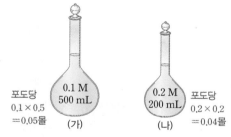

포도당
$0.1 \times 0.5$
$= 0.05$몰
0.1 M
500 mL
(가)

0.2 M
200 mL
(나)
포도당
$0.2 \times 0.2$
$= 0.04$몰

이에 대한 설명으로 옳은 것만을 〈보기〉에서 있는 대로 고른 것은? (단, 포도당의 분자량은 180이다.)

┌─ 보기 ─┐
ㄱ. 포도당의 양(mol)은 (가)가 (나)보다 많다.
ㄴ. (나)에 녹아 있는 포도당의 질량은 7.2 g이다. — $0.04 \times 180 = 7.2$
ㄷ. 용액의 밀도는 (나)가 (가)보다 크다. — (가)는 $\frac{0.05 \times 180}{500}$, (나)는 $\frac{0.04 \times 180}{200}$
농도가 클수록 밀도가 크므로 (나)>(가)
└────────┘

① ㄱ　　　　② ㄴ　　　　③ ㄱ, ㄷ
④ ㄴ, ㄷ　　　⑤ ㄱ, ㄴ, ㄷ

**문제풀이 ✔ TIP**  몰 농도$(M) = \dfrac{용질의\ 양(mol)}{용액의\ 부피(L)}$ 을 이용하여 문제를 해결한다.

---

**01** 기출 유사

그림은 포도당 수용액 (가)~(다)를 나타낸 것이다.

0.1 M
500 mL
(가)

0.2 M
200 mL
(나)

0.4 M
100 mL
(다)

이에 대한 설명으로 옳은 것만을 〈보기〉에서 있는 대로 고른 것은?

┌─ 보기 ─┐
ㄱ. (가)에 녹아 있는 포도당의 양은 0.05몰이다.
ㄴ. (나)에 녹아 있는 포도당의 질량은 18 g이다.
ㄷ. (다)에 녹아 있는 포도당의 질량은 7.2 g이다.
└────────┘

① ㄱ　　② ㄴ　　③ ㄱ, ㄷ
④ ㄴ, ㄷ　　⑤ ㄱ, ㄴ, ㄷ

### 원자 모형의 변천 과정

| 돌턴 | 톰슨 | 러더퍼드 | 보어 | 현대 |
|------|------|----------|------|------|
| 단단한 공 모형 | 양전하와 음전하가 고루 퍼져 있음. | 중심에 원자핵이 있고 주위에서 전자가 원운동 | 전자는 원자핵 주위의 궤도를 따라 회전함. | 전자는 원자핵 주위에 구름처럼 퍼져 있음. |

**수능격파 TiP**
원자의 구성 입자와 성질을 잘 구별한다.

### 원자의 구성 입자와 그 성질

| 구성 입자 | | 상대적 질량 | 상대적 전하 | 관련 특성 |
|-----------|-----------|-------------|-------------|-----------|
| 원자핵 | 양성자 | 1 | $+1$ | 원자 번호 결정 |
| | 중성자 | 1 | 0 | 동위 원소의 생성 |
| 전자 | | $\dfrac{1}{1837}$ | $-1$ | 원자의 ❶ ⬚ 성질 |

$$_{Z}^{A}X$$

질량수＝양성자수＋중성자수
원소 기호
원자 번호＝양성자수＝원자의 전자 수

### 동위 원소

① 동위 원소: 양성자수(원자 번호)는 같지만 ❷ ⬚ 가 달라 질량수가 다른 원소로, 양성자수가 같으면 질량수가 달라도 같은 원소임.

② 평균 원자량: (동위 원소의 원자량×동위 원소의 존재 비율)의 합

답| ❶ 화학적 ❷ 중성자수

---

**02** 기출 유형

표는 원자 A와 B에서 원자를 구성하는 입자 중 전자의 수와 (가)의 수를 나타낸 것이다.

중성자

| 원자 | 전자의 수 | (가)의 수 |
|------|-----------|-----------|
| A | 1 | 2 |
| B | 2 | 1 |

이에 대한 설명으로 옳은 것만을 〈보기〉에서 있는 대로 고른 것은?

보기
ㄱ. (가)는 중성자이다.
ㄴ. A와 B는 양성자수가 같다. ─ B＞A
ㄷ. B는 A의 동위 원소이다. ─ $_{2}^{3}He$

① ㄱ　　　② ㄴ　　　③ ㄱ, ㄷ
④ ㄴ, ㄷ　　⑤ ㄱ, ㄴ, ㄷ

문제풀이 TIP　원자를 구성하는 입자 수에 따른 원자의 차이를 구별한다.

---

**02** 기출 유사

다음은 몇 가지 원자 또는 이온의 구성 입자 수에 대한 자료이다. (가)~(다)는 각각 양성자, 중성자, 전자 중 하나이다.

· $_{11}^{23}Na$에서 (가)와 (다)의 수는 같다.
· $_{8}^{18}O^{2-}$에서 (가)와 (나)의 수는 같다.
· $_{16}^{a}X^{2-}$에서 (나)와 (다)의 수는 같다.

이에 대한 설명으로 옳은 것만을 〈보기〉에서 있는 대로 고른 것은? (단, X는 임의의 원소 기호이다.)

보기
ㄱ. $a=34$이다.
ㄴ. (다)는 양성자이다.
ㄷ. $_{8}^{18}O^{2-}$에서 (가)의 수는 10이다.

① ㄱ　　　② ㄴ　　　③ ㄷ
④ ㄱ, ㄴ　　⑤ ㄴ, ㄷ

## 보어 원자 모형

원자핵 주위의 전자는 특정한 에너지를 가진 궤도, 즉 전자 껍질을 따라 원운동을 함.

## 수소 원자의 전자 전이

전자가 높은 에너지 준위에서 낮은 에너지 준위로 전이할 때 에너지를 **❶**[          ], 낮은 에너지 준위에서 높은 에너지 준위로 전이할 때 에너지를 **❷**[          ] 하며, 방출하는 에너지는 불연속적으로 나타남.

**수능격파 TiP** 🖊
수소 원자의 전자 전이 시 에너지의 방출과 흡수, 에너지의 크기와 파장을 잘 구분한다.

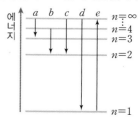

에너지 흡수 — 에너지 방출

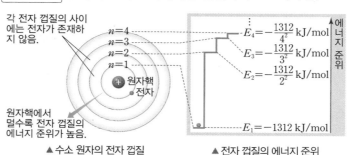

각 전자 껍질의 사이에는 전자가 존재하지 않음.

$n=4$
$n=3$
$n=2$
$n=1$

원자핵에서 멀수록 전자 껍질의 에너지 준위가 높음.

원자핵
전자

에너지 준위

$E_4 = -\dfrac{1312}{4^2}$ kJ/mol

$E_3 = -\dfrac{1312}{3^2}$ kJ/mol

$E_2 = -\dfrac{1312}{2^2}$ kJ/mol

$E_1 = -1312$ kJ/mol

▲ 수소 원자의 전자 껍질 　　▲ 전자 껍질의 에너지 준위

답 | ❶ 방출 ❷ 흡수

---

**03** 기출 유형

| 2019년 수능 10번 유사 |

그림은 수소 원자에서 일어나는 전자 전이를 나타낸 것이다. 전자 전이 A, B, C에서 출입하는 빛의 에너지(kJ/mol)는 각각 $a, b, c$이다.

이에 대한 설명으로 옳은 것만을 〈보기〉에서 있는 대로 고른 것은? (단, 주 양자수($n$)에 따른 수소 원자의 에너지 준위 $E_n \propto -\dfrac{1}{n^2}$이다.)

에너지
(kJ/mol)

$n=\infty$
$n=4$
$n=3$
$n=2$

C

A　B

$n=1$

┤ 보기 ├
ㄱ. A에서 에너지가 방출된다. — A, B, C 모두 방출
ㄴ. C에서 방출되는 빛의 파장이 가장 ~~짧다~~ — 길다
ㄷ. $a = b + c$이다.

① ㄱ　　　　② ㄴ　　　　③ ㄱ, ㄷ
④ ㄴ, ㄷ　　　⑤ ㄱ, ㄴ, ㄷ

**문제풀이** ✔ **TiP** 수소 원자의 전자 전이에서 에너지의 방출 및 흡수를 잘 확인한다.

---

**03** 기출 유사

그림은 수소 원자의 에너지 준위와 몇 가지 전자 전이 $a \sim e$를 나타낸 것이다.

에너지

$a\ b\ c\ d\ e$

$n=\infty$
$n=4$
$n=3$
$n=2$

$n=1$

$a \sim e$에 대한 설명으로 옳은 것만을 〈보기〉에서 있는 대로 고른 것은? (단, 주 양자수($n$)에 따른 수소 원자의 에너지 준위 $E_n \propto -\dfrac{1}{n^2}$이다.)

┤ 보기 ├
ㄱ. $a$와 $b$에서 방출되는 빛의 파장은 같다.
ㄴ. 에너지를 흡수하는 것은 2가지이다.
ㄷ. $d$와 $e$에서 출입하는 에너지의 크기는 같다.

① ㄱ　　② ㄷ　　③ ㄱ, ㄴ
④ ㄴ, ㄷ　　⑤ ㄱ, ㄴ, ㄷ

## 04 핵심 체크　오비탈과 양자수

**● 오비탈**

원자핵 주위에 전자가 존재할 수 있는 공간을 확률 분포로 나타낸 것 ➡ $s, p, d, f$ 등

**● 오비탈과 양자수**

① 주 양자수($n$): 오비탈의 에너지와 크기 결정 $n=1, 2, 3, 4 \cdots$

② 방위(부) 양자수($l$): 오비탈의 ❶ [　　　　] 결정 $l=0, 1, 2, 3 \cdots (n-1)$

③ 자기 양자수($m_l$): 오비탈의 공간적인 방향 결정 $-l \leq m_l \leq l$의 정숫값

④ 스핀 자기 양자수($m_s$): 전자의 스핀 방향 결정 $m_s = +\dfrac{1}{2}, -\dfrac{1}{2}$

**● 오비탈의 에너지 준위**

① 수소 원자: $1s < 2s = 2p < 3s = 3p = 3d < \cdots$

② 다전자 원자: $1s < 2s < 2p < 3s < 3p < 4s < 3d < \cdots$

**● 전자 배치의 규칙**

① 쌓음 원리: 전자는 에너지 준위가 ❷ [　　　　] 오비탈부터 차례대로 채워짐.

② 파울리 배타 원리: 전자는 한 오비탈에 최대 2개까지 배치, 2개의 전자는 스핀 방향
이 반대

③ 훈트 규칙: 에너지 준위가 같은 오비탈에 전자가 배치될 때 홀전자 수가 최대가 되
도록 전자를 배치

수능격파 TIP 🖐

부 양자수에 따른 오비탈의 모양
을 알고, 다전자 원자의 에너지
준위 순서대로 전자를 배치할 수
있어야 한다.

답 | ❶ 모양　❷ 낮은

---

## 04 기출 유형

그림 (가)는 $2s$ 오비탈, (나)는 $3p_x$ 오비탈을 나타낸 것이다.

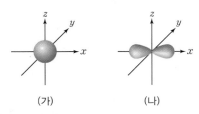

(가)　　　(나)

이에 대한 설명으로 옳지 <u>않은</u> 것은?

① 주 양자수는 (나)가 (가)보다 크다. — (가)는 2, (나)는 3

② (가)에는 전자가 최대 2개 채워질 수 있다.

③ 수소 원자에서 에너지 준위는 (가)가 (나)보다 낮다. — $2s < 3p_x$

④ 다전자 원자에서 에너지 준위는 (가)가 (나)보다 낮다. — $3p_x > 2s$

⑤ (나)에서는 원자핵으로부터의 거리가 같으면 전자의 발견 확률이
~~같다.~~ — 다르다

**문제풀이 ✔ TIP**　(가)는 $s$ 오비탈이므로 전자가 최대 2개 채워질 수 있다.

## 04 기출 유사

그림은 바닥상태 원자 A에서 전자가 들
어 있는 모든 오비탈을 모형으로 나타낸
것이다. 주 양자수는 (가)가 (나)보다 작다.

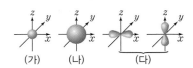

(가)　　(나)　　　(다)

이에 대한 설명으로 옳은 것만을 〈보기〉
에서 있는 대로 고른 것은? (단, A는 임
의의 원소 기호이다.)

┌─ 보기 ├─
ㄱ. (가)의 방위(부) 양자수는 0이다.
ㄴ. (나)에는 전자가 2개 들어 있다.
ㄷ. 에너지 준위는 (나)와 (다)가 같다.
└─────────

① ㄱ　　　② ㄷ　　　③ ㄱ, ㄴ

④ ㄴ, ㄷ　　　⑤ ㄱ, ㄴ, ㄷ

# 기초력 집중드릴

**01** 다음은 용질 X와 Y의 수용액 (가)와 (나)를 나타낸 것이다. X와 Y의 화학식량은 각각 $w$, $2w$이다.

> (가) 0.1 M X 수용액 500 mL
> (나) 0.2 M Y 수용액 250 mL

(나)가 (가)보다 큰 값을 갖는 것만을 〈보기〉에서 있는 대로 고른 것은? (단, (가)와 (나)의 온도는 같다.)

┤ 보기 ├
ㄱ. 수용액에 들어 있는 용질의 양(mol)
ㄴ. 수용액에 들어 있는 용질의 질량
ㄷ. 수용액 1 L에 들어 있는 용질의 양(mol)

① ㄱ　　　② ㄴ　　　③ ㄷ
④ ㄱ, ㄴ　　⑤ ㄴ, ㄷ

**해결 Point** 몰 농도는 용액의 부피당 물질의 양(mol)이다.

---

신유형 | 2021년 수능 13번 유사 |

**02** 다음은 수산화 나트륨 수용액(NaOH($aq$))에 관한 실험이다.

> (가) 2 M NaOH($aq$) 300 mL에 물을 넣어 1.5 M NaOH($aq$) $x$ mL를 만든다.
> (나) 2 M NaOH($aq$) 200 mL에 NaOH($s$) $y$ g 과 물을 넣어 2.5 M NaOH($aq$) 400 mL를 만든다.

$\dfrac{x}{100}+y$는? (단, NaOH의 화학식량은 40이고, 온도는 일정하다.)

① 20　　　② 24　　　③ 27
④ 28　　　⑤ 29

**해결 Point** 용액을 묽힐 때 묽히기 전후 용질의 양(mol)은 같다.

---

| 2020년 수능 13번 유사 |

**03** 그림은 수소 원자의 전자가 들뜬상태에서 바닥상태(주양자수($n$)=1)로 전이할 때 방출하는 빛의 선 스펙트럼을 나타낸 것이다.

$\lambda_1$은 전자가 $n=5$에서 $n=1$로 전이할 때 방출하는 빛의 파장이다.

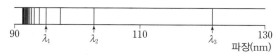

이에 대한 설명으로 옳은 것만을 〈보기〉에서 있는 대로 고른 것은? (단, 수소 원자의 에너지 준위 $E_n \propto -\dfrac{1}{n^2}$이고, 파장은 에너지에 반비례한다.)

┤ 보기 ├
ㄱ. 방출하는 빛의 에너지는 $\lambda_1 > \lambda_2$이다.
ㄴ. 전자가 $n=4$에서 $n=1$로 전이할 때 방출하는 빛의 파장은 $\lambda_2$이다.
ㄷ. $n$이 커질수록 인접한 두 전자 껍질의 에너지 차이는 줄어든다.

① ㄱ　　　② ㄴ　　　③ ㄱ, ㄷ
④ ㄴ, ㄷ　　⑤ ㄱ, ㄴ, ㄷ

**해결 Point** 빛의 파장과 에너지는 반비례한다.

**04** 그림 (가)는 원자 번호가 9인 원자의 전자 배치를 전자 껍질 모형으로 나타낸 것이고, (나)는 $2s$ 오비탈과 $2p_x$ 오비탈을 나타낸 것이다.

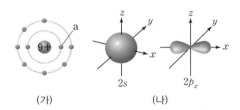

(가)                    (나)

이에 대한 설명으로 옳은 것만을 〈보기〉에서 있는 대로 고른 것은?

┌─ 보기 ├─
ㄱ. 전자 a는 $1s$ 오비탈에 있다.
ㄴ. $2s$ 오비탈의 전자는 경계면을 따라 원운동한다.
ㄷ. (가)에 존재하는 (나)의 두 오비탈은 에너지 준위가 같다.

① ㄱ      ② ㄷ      ③ ㄱ, ㄴ
④ ㄱ, ㄷ      ⑤ ㄴ, ㄷ

**해결 Point** $s$ 오비탈은 전자 발견 확률이 모든 방향에서 같다.

| 2019년 수능 14번 유사 |

**05** 그림은 부피가 동일한 용기 (가)와 (나)에 기체가 각각 들어 있는 것을 나타낸 것이다. 두 용기 속 기체의 온도와 압력은 같고, 두 용기 속 기체의 질량비는 (가) : (나) $=45 : 46$이다.

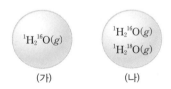

(가)                    (나)

(나)에 들어 있는 기체의 $\dfrac{\text{전체 양성자수}}{\text{전체 중성자수}}$는? (단, H, O의 원자 번호는 각각 1, 8이고, $^1$H, $^{16}$O, $^{18}$O의 원자량은 각각 1, 16, 18이다.)

① $\dfrac{29}{17}$    ② $\dfrac{27}{19}$    ③ $\dfrac{25}{21}$    ④ $\dfrac{9}{8}$    ⑤ $\dfrac{1}{2}$

**해결 Point** 질량수는 양성자수와 중성자수의 합이다.

(신유형)
**06** 그림은 원자 X에서 전자가 들어 있는 오비탈 $1s$, $2s$, $2p_x$를 주어진 기준에 따라 분류한 것이다.

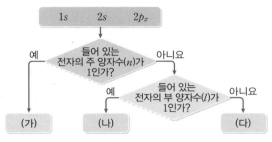

이에 대한 설명으로 옳은 것만을 〈보기〉에서 있는 대로 고른 것은?

┌─ 보기 ├─
ㄱ. (가)는 $1s$ 오비탈이다.
ㄴ. (나)와 (다)는 수소 원자일 때 에너지 준위가 같다.
ㄷ. (다)는 방향성이 있다.

① ㄱ      ② ㄷ      ③ ㄱ, ㄴ
④ ㄴ, ㄷ      ⑤ ㄱ, ㄴ, ㄷ

**해결 Point** 주 양자수와 부 양자수를 확인한다.

**07**
다음은 학생 X가 그린 3가지 원자의 전자 배치 (가)~
(다)와 이에 대한 세 학생의 대화이다.

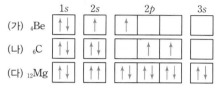

제시한 내용이 옳은 학생만을 있는 대로 고른 것은?

① A          ② C          ③ A, B
④ B, C        ⑤ A, B, C

해결 Point 바닥상태 전자의 배치는 쌓음 원리, 파울리 배타 원리, 훈트 규칙을 따른다.

**08** 그림은 수소 원자의 선 스펙트럼을 나타낸 것이다.

위의 선 스펙트럼을 설명할 수 있는 원자 모형으로 가장 적절한 것은?

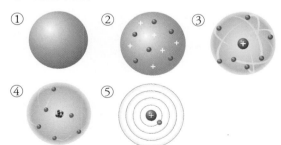

해결 Point 원자 모형의 변천을 이해한다.

**09**
표는 수소 원자의 오비탈 (가)~(다)에 대한 자료이다.
$n$, $l$, $m_l$는 각각 주 양자수, 방위(부) 양자수, 자기 양자수이다.

| 구분 | $n+l$ | $l+m_l$ |
|------|-------|---------|
| (가) | 1 | 0 |
| (나) | 2 | 0 |
| (다) | 3 | 1 |

이에 대한 설명으로 옳은 것만을 〈보기〉에서 있는 대로 고른 것은?

┌ 보기 ┐
ㄱ. 자기 양자수($m_l$)는 (가)=(나)이다.
ㄴ. 에너지 준위는 (가)=(나)이다.
ㄷ. (다)의 주 양자수는 3이다.

① ㄱ          ② ㄴ          ③ ㄱ, ㄷ
④ ㄴ, ㄷ       ⑤ ㄱ, ㄴ, ㄷ

해결 Point $l$은 $n$보다 작은 값을 가진다.

**10** 그림은 수소 원자의 전자 배치를 나타낸 것이다.

| $1s$ | $2s$ | $2p_x$ | $2p_y$ | $2p_z$ |
|------|------|--------|--------|--------|
|  |  |  |  | ↑ |

이에 대한 설명으로 옳은 것만을 〈보기〉에서 있는 대로 고른 것은?

┌ 보기 ┐
ㄱ. $1s$ 오비탈로 전자가 전이될 때 빛이 방출된다.
ㄴ. 바닥상태의 전자 배치이다.
ㄷ. $2p_z$ 오비탈에 전자가 있을 때와 $2p_x$에 전자가 있을 때의 에너지 준위는 다르다.

① ㄱ          ② ㄷ          ③ ㄱ, ㄴ
④ ㄴ, ㄷ       ⑤ ㄱ, ㄴ, ㄷ

해결 Point 원자의 전자 배치가 뜻하는 바를 이해한다.

**11** 그림은 아르곤과 칼륨 원자를 기호로 나타낸 것이다.

$$^{40}_{18}Ar \qquad ^{40}_{19}K$$

$^{40}_{18}Ar$이 $^{40}_{19}K$보다 큰 값을 갖는 것만을 〈보기〉에서 있는 대로 고른 것은?

┌ 보기 ├
ㄱ. 질량수    ㄴ. 전자 수    ㄷ. 중성자수

① ㄴ            ② ㄷ            ③ ㄱ, ㄴ
④ ㄱ, ㄷ        ⑤ ㄱ, ㄴ, ㄷ

해결 Point 중성자수＝질량수－양성자수이다.

신유형  | 2020년 4월 학평 12번 유사 |

**12** 다음은 A($aq$)에 대한 실험이다. A의 화학식량은 100이다.

[실험 과정 및 결과]
250 mL 부피 플라스크에 $x$ M A($aq$) 100 mL와 A($s$) 4 g을 넣어 녹인 후, 표시선까지 물을 추가하여 0.2 M A($aq$)을 만들었다.

$x$ M A($aq$) 100 mL (가)   A($s$) 4 g   표시선까지 물을 추가   0.2 M A($aq$) 250 mL (나)

이에 대한 설명으로 옳은 것만을 〈보기〉에서 있는 대로 고른 것은?

┌ 보기 ├
ㄱ. (나)에 들어 있는 A의 양은 0.05몰이다.
ㄴ. $x=0.1$이다.
ㄷ. (가)에 들어 있는 A의 질량은 2 g이다.

① ㄱ            ② ㄷ            ③ ㄱ, ㄴ
④ ㄴ, ㄷ        ⑤ ㄱ, ㄴ, ㄷ

해결 Point 몰 농도와 부피의 곱이 용질의 양(mol)이다.

| 2020년 3월 학평 9번 유사 |

**13** 그림은 분자 $X_2$가 자연계에 존재하는 비율을 나타낸 것이다. $^aX$, $^{a+2}X$의 원자량은 각각 $a$, $a+2$이다.

이에 대한 설명으로 옳은 것만을 〈보기〉에서 있는 대로 고른 것은? (단, X는 임의의 원소 기호이다.)

┌ 보기 ├
ㄱ. 양성자수는 $^{a+2}X > {}^aX$이다.
ㄴ. 자연계에 존재하는 $^aX$와 $^{a+2}X$의 비율은 같다.
ㄷ. X의 평균 원자량은 $a+1$이다.

① ㄱ            ② ㄴ            ③ ㄱ, ㄷ
④ ㄴ, ㄷ        ⑤ ㄱ, ㄴ, ㄷ

해결 Point 질량수는 양성자수와 중성자수의 합이다.

**14** 다음은 원자 X~Z의 전자 배치를 나타낸 것이다.

- X: $1s^2 2s^2 3s^2$
- Y: $1s^2 2s^2 2p^3 3s^2$
- Z: $1s^2 2s^2 2p^6 3s^2$

이에 대한 설명으로 옳은 것만을 〈보기〉에서 있는 대로 고른 것은? (단, X~Z는 임의의 원소 기호이다.)

┌ 보기 ├
ㄱ. X가 바닥상태일 때 홀전자 수는 2이다.
ㄴ. Y는 바닥상태이다.
ㄷ. Z는 13족 원소이다.

① ㄱ            ② ㄷ            ③ ㄱ, ㄴ
④ ㄴ, ㄷ        ⑤ ㄱ, ㄴ, ㄷ

해결 Point 여러 가지 전자 배치 규칙을 이해하고 적용할 수 있어야 한다.

**15**

그림은 1 M A 수용액 50 mL를 모형으로 나타낸 것이다.

이를 이용하여 0.25 M A 수용액 100 mL를 모형으로 나타낸 것으로 가장 적절한 것은?

①  ②  ③

④  ⑤

**해결** **Point** 부피당 용질의 수를 생각할 수 있어야 한다.

**16** 다음은 수용액 (가)~(다)의 입자 모형을 나타낸 것이다.

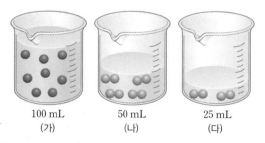

100 mL      50 mL      25 mL
(가)         (나)        (다)

(가)~(다)에 대한 설명으로 옳은 것만을 〈보기〉에서 있는 대로 고른 것은?

┌─ 보기 ├─
ㄱ. 부피당 입자 수는 모두 같다.
ㄴ. 몰 농도(M)는 모두 같다.
ㄷ. (가) 25 mL에 들어 있는 입자 수는 2이다.

① ㄱ       ② ㄴ       ③ ㄷ
④ ㄴ, ㄷ       ⑤ ㄱ, ㄴ, ㄷ

**해결** **Point** 부피당 입자 수로 몰 농도를 비교한다.

**17** 그림 (가)는 0.1 M HCl($aq$) 500 mL를, (나)는 0.3 M HCl($aq$) 200 mL를 나타낸 것이다.

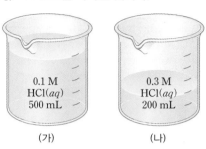

0.1 M HCl($aq$) 500 mL      0.3 M HCl($aq$) 200 mL

(가)           (나)

이에 대한 설명으로 옳은 것만을 〈보기〉에서 있는 대로 고른 것은?

┌─ 보기 ├─
ㄱ. (가)에서 HCl의 양은 0.5몰이다.
ㄴ. (나)에서 용액 100 mL 속 HCl의 양은 0.06 몰이다.
ㄷ. (가)의 200 mL와 (나)의 200 mL를 섞었을 때 혼합 용액의 농도는 0.2 M이다.

① ㄱ       ② ㄴ       ③ ㄷ
④ ㄴ, ㄷ       ⑤ ㄱ, ㄴ, ㄷ

**해결** **Point** (가)와 (나)의 용질의 양(mol)을 계산한다.

**18** 표는 바닥상태 원자 W~Z에서 전자가 들어 있는 오비탈 수와 홀전자 수를 나타낸 것이다.

| 원자 | W | X | Y | Z |
|------|---|---|---|---|
| 오비탈 수 | 4 | 5 | 5 | 6 |
| 홀전자 수 | $a$ | 1 | 2 | 1 |

W~Z에 대한 설명으로 옳은 것만을 〈보기〉에서 있는 대로 고른 것은? (단, W~Z는 임의의 원소 기호이다.)

┌ 보기 ├
ㄱ. $a = 2$이다.
ㄴ. 원자 번호는 Z가 가장 작다.
ㄷ. 전자의 주 양자수가 가장 큰 것은 Y이다.

① ㄱ      ② ㄷ      ③ ㄱ, ㄴ
④ ㄴ, ㄷ      ⑤ ㄱ, ㄴ, ㄷ

**해결 Point** 오비탈 수를 보고 홀전자 수에 맞게 전자를 채워본다.

**19** 표는 원소 A~C의 원자 또는 이온의 전자 배치를 나타낸 것이다.

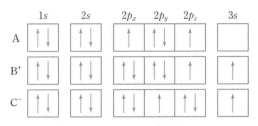

이에 대한 설명으로 옳은 것만을 〈보기〉에서 있는 대로 고른 것은? (단, A~C는 임의의 원소 기호이다.)

┌ 보기 ├
ㄱ. A의 홀전자 수는 4이다.
ㄴ. $B^+$은 바닥상태이다.
ㄷ. $C^-$은 들뜬상태이다.

① ㄱ      ② ㄷ      ③ ㄱ, ㄴ
④ ㄴ, ㄷ      ⑤ ㄱ, ㄴ, ㄷ

**해결 Point** 원자나 이온의 전자 배치나 전자 수를 보고 들뜬상태인지 바닥상태인지 확인한다.

| 2020년 10월 학평 10번 유사 |

**20** 그림은 바닥상태 나트륨($_{11}$Na) 원자에서 전자가 들어 있는 오비탈 (가), (나)를 모형으로 나타낸 것이다. 에너지 준위는 (가)가 (나)보다 높다.

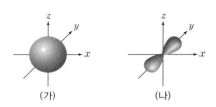

(가)           (나)

이에 대한 설명으로 옳은 것만을 〈보기〉에서 있는 대로 고른 것은?

┌ 보기 ├
ㄱ. 주 양자수($n$)는 (가)가 (나)보다 작다.
ㄴ. 오비탈에 들어 있는 전자 수는 (나)가 (가)보다 크다.
ㄷ. 부(방위) 양자수는 (나)가 (가)보다 작다.

① ㄱ      ② ㄴ      ③ ㄷ
④ ㄱ, ㄴ      ⑤ ㄴ, ㄷ

**해결 Point** 나트륨의 오비탈 전자 배치를 안다.

# 원소의 주기적 성질

## 오늘 공부할 내용 **미리보기**

### 개념 01 주기율표

개념 **02** 유효 핵전하

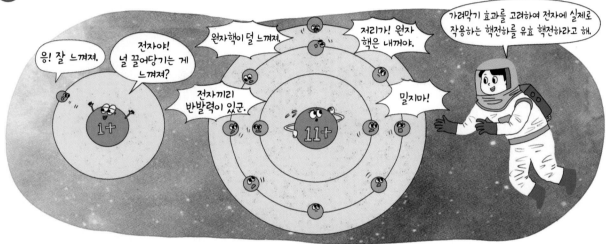

개념 **03** 이온화 에너지

# 01 핵심 체크 ｜ 주기율표

## ○ 주기율

① 주기율: 화학적 성질이 비슷한 원소가 일정한 간격을 두고 주기적으로 나타나는 현상

되베라이너 (1828년) 세 쌍 원소설 → 뉴랜즈 (1864년) 옥타브설 → 멘델레예프 (1869년) 최초의 주기율표 → 모즐리 (1913년) 현대의 주기율표

**수능격파 TiP**
주기율표의 각 족과 주기에 어떤 원소가 존재하는지 알아둔다.

② 주기율표: 원소들을 ❶ ◻◻◻ 순으로 나열하면서 성질이 비슷한 원소들이 같은 세로줄에 오도록 만든 원소의 분류표

- 족: 주기율표의 ❷ ◻◻◻ , 같은 족은 화학적 성질이 비슷함.
- 주기: 주기율표의 가로줄

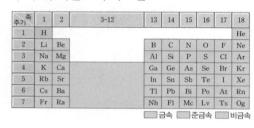

**답 | ❶ 원자 번호 ❷ 세로줄**

---

## 01 기출 유형

| 2019년 9월 학평 10번 유사 |

그림은 주기율표의 일부를 나타낸 것이다.

| 주기＼족 | 1 | 2 | 13 | 14 | 15 | 16 | 17 | 18 |
|---|---|---|---|---|---|---|---|---|
| 1 |  |  |  |  |  |  |  | A |
| 2 | B |  |  | C |  |  |  |  |
| 3 |  |  |  |  |  |  | D | E |

A~E에 대한 설명으로 옳은 것만을 〈보기〉에서 있는 대로 고른 것은? (단, A~E는 임의의 원소 기호이다.)

┤ 보기 ├
ㄱ̸. A와 C는 모두 전자를 잃기 쉬운 원소이다. ─ A는 비활성 기체
ㄴ. D와 E는 전자가 채워진 전자 껍질 수가 같다.
ㄷ̸. B는 원자가 전자가 3개이다. ─ 1개

① ㄱ　　　　② ㄴ　　　　③ ㄱ, ㄷ
④ ㄴ, ㄷ　　　⑤ ㄱ, ㄴ, ㄷ

**문제풀이 ✔TiP** 주기율표에서 원소의 위치에 따른 성질을 알아야 한다
A는 헬륨, B는 리튬, C는 탄소, D는 염소, E는 아르곤이다.

---

## 01 기출 유사

그림은 주기율표의 일부를 나타낸 것이다.

| 주기＼족 | 1 | 2 | 13 | 14 | 15 | 16 | 17 | 18 |
|---|---|---|---|---|---|---|---|---|
| 1 | A |  |  |  |  |  |  |  |
| 2 |  |  |  |  |  |  | B |  |
| 3 | C |  |  |  |  |  | D | E |

A~E에 대한 설명으로 옳은 것만을 〈보기〉에서 있는 대로 고른 것은? (단, A~E는 임의의 원소 기호이다.)

┤ 보기 ├
ㄱ. A와 C는 금속 원소이다.
ㄴ. B와 D는 전자가 채워진 전자 껍질 수가 같다.
ㄷ. 원자가 전자 수가 0인 원소는 E이다.

① ㄱ　　② ㄷ　　③ ㄱ, ㄷ
④ ㄴ, ㄷ　　⑤ ㄱ, ㄴ, ㄷ

### ⊙ 원자의 전자 배치

① 원자가 전자: 바닥상태 전자 배치에서 가장 **❶**[　　　] 전자 껍질에 존재하여 외부와 상호 작용하며 화학 결합에 참여할 수 있는 전자

② 오비탈 기호 이용: 오비탈 기호의 오른쪽 위에 채워진 **❷**[　　　]의 수를 작은 글자로 표시

③ 오비탈 상자 모형 이용: 오비탈을 상자로, 전자를 화살표로 표시

④ 주기율표에서 원소의 위치를 통해 전자 배치를 알 수 있음.

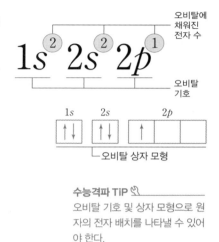

| 족주기 | 1 | 2 | 13 | 14 | 15 | 16 | 17 | 18 |
|---|---|---|---|---|---|---|---|---|
| 1 | $1s^1$ | | | | | | | $1s^2$ |
| 2 | $2s^1$ | $2s^2$ | $2s^22p^1$ | $2s^22p^2$ | $2s^22p^3$ | $2s^22p^4$ | $2s^22p^5$ | $2s^22p^6$ |
| 3 | $3s^1$ | $3s^2$ | $3s^23p^1$ | $3s^23p^2$ | $3s^23p^3$ | $3s^23p^4$ | $3s^23p^5$ | $3s^23p^6$ |
| 4 | $4s^1$ | $4s^2$ | $4s^24p^1$ | $4s^24p^2$ | $4s^24p^3$ | $4s^24p^4$ | $4s^24p^5$ | $4s^24p^6$ |
| 가장 바깥 전자 껍질의 전자 배치 | $ns^1$ | $ns^2$ | $ns^2np^1$ | $ns^2np^2$ | $ns^2np^3$ | $ns^2np^4$ | $ns^2np^5$ | $ns^2np^6$ |
| 원자가 전자 수 | 1 | 2 | 3 | 4 | 5 | 6 | 7 | 0 |

**수능격파 TIP** 🔧

오비탈 기호 및 상자 모형으로 원자의 전자 배치를 나타낼 수 있어야 한다.

**답** | ❶ 바깥 ❷ 전자

---

**02** 기출 유형 ────
| 2021년 수능 3번 유사 |

그림 (가)~(라)는 학생들이 그린 산소(O) 원자의 전자 배치이다.

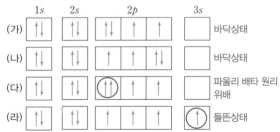

이에 대한 설명으로 옳은 것만을 〈보기〉에서 있는 대로 고른 것은?

┌─ 보기 ──────────────────────┐
ㄱ. 바닥상태의 전자 배치는 2가지이다. ─ (가), (나)
ㄴ. (다)는 파울리 배타 원리에 어긋난다. ─ 스핀 방향이 달라야 함.
ㄷ. 산소(O)의 원자가 전자 수는 6이다.─ 2s에 2개, 2p에 4개
└──────────────────────────┘

① ㄱ  　　② ㄷ  　　③ ㄱ, ㄷ

④ ㄴ, ㄷ  　　⑤ ㄱ, ㄴ, ㄷ

---

**02** 기출 유사 ────

표는 바닥상태 원자 A~C에 대한 자료이다.

| 원자 | A | B | C |
|---|---|---|---|
| $p$ 오비탈에 들어 있는 전자 수 | 3 | 5 | 7 |

전자가 들어 있는 오비탈 수를 옳게 비교한 것은? (단, A~C는 임의의 원소 기호이다.)

① A＝B＝C

② A＝B＞C

③ B＝C＞A

④ C＞A＝B

⑤ C＞B＞A

---

**문제풀이 ✔TIP**　전자 배치를 통해 바닥상태, 들뜬상태를 구분한다.

① 유효 핵전하: 다전자 원자에서 원자핵과의 인력뿐 아니라 전자 사이의  으로 인해 전자가 받는 실제 핵전하

② 원자 반지름: 일반적으로 같은 종류의 두 원자가 결합되어 있을 때 두 원자핵 간 거리의 반

반지름: Na > $Na^+$
반지름: Cl < $Cl^-$

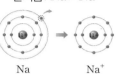
Na     $Na^+$

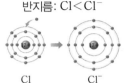
Cl     $Cl^-$

③ 원자가 양이온이 되면 반지름은 감소, 음이온이 되면 반지름은 ❷ [    ]

④ 유효 핵전하와 원자 반지름의 주기성

**수능격파 TiP**
유효 핵전하와 원자 반지름의 주기성을 알고 있어야 한다.

| 유효 핵전하 | 원자 반지름 |
|---|---|
| 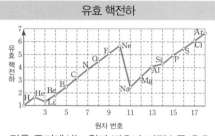 | 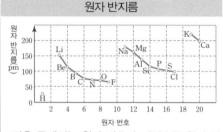 |
| • 같은 주기에서는 원자 번호가 커질수록 유효 핵전하가 증가<br>• 주기가 바뀔 때 유효 핵전하가 급격히 감소 | • 같은 족에서는 원자 번호가 커질수록 원자 반지름이 증가<br>• 같은 주기에서는 원자 번호가 커질수록 원자 반지름이 감소 |

**답 | ❶** 반발력   **❷** 증가

---

**03** 기출 유형

| 2021년 수능 14번 유사 |

다음은 원자 A~D에 대한 자료이다. A~D의 원자 번호는 각각 7, 8, 12, 13 중 하나이고, A~D의 이온은 모두 Ne의 전자 배치를 갖는다.

- 원자 반지름은 A가 가장 작다. — A는 O
- 이온 반지름은 B가 가장 작다. — B는 Al
- 제2 이온화 에너지는 D가 가장 작다. — D는 Mg, C는 N

A~D에 대한 설명으로 옳은 것만을 〈보기〉에서 있는 대로 고른 것은? (단, A~D는 임의의 원소 기호이다.)

┤ 보기 ├
ㄱ. 이온 반지름은 C가 가장 크다. — N > O > Mg > Al
ㄴ. 원자가 전자가 느끼는 유효 핵전하는 C✕A이다. — N < O
ㄷ. 원자 번호는 B가 가장 크다. — Al > Mg > O > N

① ㄱ      ② ㄴ      ③ ㄱ, ㄷ
④ ㄴ, ㄷ      ⑤ ㄱ, ㄴ, ㄷ

**문제풀이 ✔TiP**   원자 반지름의 주기성을 확인하고 있어야 한다.

---

**03** 기출 유사

그림은 2주기와 3주기 원소의 족에 따른 유효 핵전하를 순서 없이 나타낸 것이다.

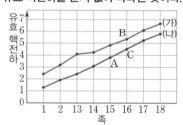

이에 대한 설명으로 옳은 것만을 〈보기〉에서 있는 대로 고른 것은? (단, A~C는 임의의 원소 기호이다.)

┤ 보기 ├
ㄱ. (가)는 2주기 원소이다.
ㄴ. 원자 반지름은 A가 C보다 크다.
ㄷ. 이온화 에너지는 B가 C보다 크다.

① ㄱ      ② ㄴ      ③ ㄱ, ㄷ
④ ㄴ, ㄷ      ⑤ ㄱ, ㄴ, ㄷ

① 이온화 에너지: 기체 상태의 원자 1몰에서 전자 1몰을 떼어 내는 데 필요한 에너지

$$M(g) + E(\text{이온화 에너지}) \longrightarrow M^+(g) + e^-$$

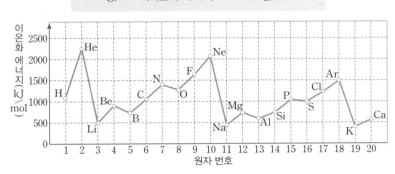

**수능격파 TIP**
이온화 에너지 주기성 그래프를 이해하고 제1, 제2 이온화 에너지를 알아야 한다.

② 순차 이온화 에너지: 이온화 차수가 커질수록 순차 이온화 에너지는 ❶ ▢▢▢▢

③ 순차 이온화 에너지와 원자가 전자 수: ❷ ▢▢▢▢▢ 를 모두 떼어 내고 안쪽 전자 껍질에 있는 전자를 떼어 낼 때 이온화 에너지가 급격히 증가함. $E_{n+1}$에서 급격히 증가하면 이 원자의 원자가 전자 수는 $n$임.

답 | ❶ 증가  ❷ 원자가 전자

**04** 기출 유형

| 2019년 수능 15번 유사 |

그림은 원자 V~Z의 제2 이온화 에너지를 나타낸 것이다. V~Z는 각각 원자 번호 9~13의 원소 중 하나이다.

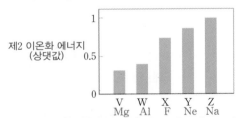

이에 대한 설명으로 옳은 것만을 〈보기〉에서 있는 대로 고른 것은? (단, V~Z는 임의의 원소 기호이다.)

┌─ 보기 ─
ㄱ. V는 2족 원소이다. ─ V는 Mg
ㄴ. 제1 이온화 에너지는 Y가 가장 크다. ─ 18족이 최대
ㄷ. 원자가 전자가 느끼는 유효 핵전하는 W > V이다. ─ Al>Mg
└

① ㄱ          ② ㄷ          ③ ㄱ, ㄴ
④ ㄴ, ㄷ      ⑤ ㄱ, ㄴ, ㄷ

**문제풀이 TiP**  V~Z는 각각 F, Ne, Na, Mg, Al 중 하나이다.

**04** 기출 유사

다음은 2주기 바닥상태 원자 X~Z에 대한 자료이다.

┌──────────────────
· X, Y, Z는 홀전자 수가 같다.
· 제1 이온화 에너지는 X가 가장 크다.
· 제2 이온화 에너지는 Z가 가장 크다.
└──────────────────

이에 대한 설명으로 옳은 것만을 〈보기〉에서 있는 대로 고른 것은? (단, X~Z는 임의의 원소 기호이다.)

┌─ 보기 ─
ㄱ. 전기 음성도는 X가 가장 크다.
ㄴ. Y는 홀전자 수가 2이다.
ㄷ. Z는 이온이 되면 Ne과 같은 전자 배치가 된다.
└

① ㄱ          ② ㄴ          ③ ㄱ, ㄷ
④ ㄴ, ㄷ      ⑤ ㄱ, ㄴ, ㄷ

# 기초력 집중드릴

## 01
다음은 주기율과 관련된 설명 (가)~(라)를 시대 순서에 관계 없이 나타낸 것이다.

> (가) 화학적 성질이 비슷한 원소를 3개씩 묶어 세쌍 원소라고 하였다.
> (나) 당시까지 발견된 63종의 원소를 원자량 순으로 나열하였다.
> (다) 원소들을 원자량 순서로 배열하면 8번째마다 성질이 비슷한 원소가 주기적으로 나타난다는 것을 발견하였다.
> (라) 원소들을 원자 번호 순으로 배열하여 멘델레예프가 만든 주기율표의 문제점을 해결하였다.

(가)~(라)를 시대 순으로 옳게 배열한 것은?

① (가) → (나) → (다) → (라)
② (가) → (나) → (라) → (다)
③ (나) → (가) → (다) → (라)
④ (가) → (다) → (나) → (라)
⑤ (다) → (나) → (가) → (라)

**해결 Point** 주기율표가 발견되기까지의 과정에 대해 알고 있어야 한다.

## 02
그림은 바닥상태 원자 A와 B의 전자 배치를 나타낸 것이다.
이에 대한 설명으로 옳지 않은 것은? (단, A, B는 임의의 원소 기호이다.)

A      B

① A의 원자가 전자 수는 5이다.
② B는 3주기 원소이다.
③ B의 오비탈 수는 6이다.
④ B는 +1가의 양이온이 되기 쉽다.
⑤ B는 A보다 음이온이 되기 쉽다.

**해결 Point** 원자의 전자 배치를 보고 어떤 원소인지 알 수 있다.

## 03
신유형 | 2020년 수능 10번 유사 |
다음은 이온화 에너지와 관련하여 학생 A가 세운 가설과 이를 검증하기 위해 수행한 탐구 활동이다.

> [가설]
> • 15~17족에 속한 원자들은
> > ⊙
>
> [탐구 과정]
> (가) 15~17족에 속한 각 원자의 제1 이온화 에너지($E_1$)를 조사한다.
> (나) 조사한 각 원자의 $E_1$를 족에 따라 구분하여 점으로 표시한 후, 표시한 점을 각 주기별로 연결한다.
>
> [탐구 결과]
>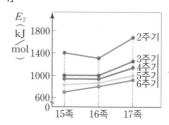
>
> [결론]
> • 가설은 옳다.

이에 대한 설명으로 옳은 것만을 〈보기〉에서 있는 대로 고른 것은?

> ┌ 보기 ┐
> ㄱ. 전자가 들어 있는 전자 껍질 수는 2주기 원소가 3주기 원소보다 크다.
> ㄴ. 이온화 에너지는 전자 1개를 떼어 낼 때 방출하는 에너지이다.
> ㄷ. '같은 족에서 원자 번호가 커질수록 제1 이온화 에너지가 작아진다.'는 ⊙으로 적절하다.

① ㄱ
② ㄴ
③ ㄷ
④ ㄱ, ㄷ
⑤ ㄴ, ㄷ

**해결 Point** 그래프 해석을 할 수 있어야 한다.

**04** 그림은 3가지 원자의 전자 배치 (가)~(다)를 나타낸 것이다.

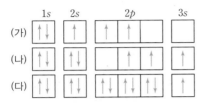

이에 대한 설명으로 옳은 것만을 〈보기〉에서 있는 대로 고른 것은?

┌─ 보기 ─────────────────────────
ㄱ. 3주기 원소는 2가지이다.
ㄴ. (나)와 (다)의 원소는 같은 족 원소이다.
ㄷ. 들뜬상태의 전자 배치는 2가지이다.
└────────────────────────────────

① ㄱ ② ㄷ ③ ㄱ, ㄴ
④ ㄴ, ㄷ ⑤ ㄱ, ㄴ, ㄷ

해결 Point 오비탈 전자 배치로 원소의 족과 주기를 알 수 있다.

**05** 다음은 원자 A~C의 바닥상태의 전자 배치를 나타낸 것이다.

┌──────────────────────────────
• A: $1s^2 2s^2 2p^6 3s^1$
• B: $1s^2 2s^2 2p^6 3s^2 3p^5$
• C: $1s^2 2s^2 2p^6 3s^2 3p^6$
└──────────────────────────────

A~C에 대한 설명으로 옳은 것만을 〈보기〉에서 있는 대로 고른 것은? (단, A~C는 임의의 원소 기호이다.)

┌─ 보기 ─────────────────────────
ㄱ. A의 원자가 전자 수는 7이다.
ㄴ. B의 홀전자 수는 1이다.
ㄷ. B와 C에 전자가 채워진 오비탈의 수는 다르다.
└────────────────────────────────

① ㄱ ② ㄴ ③ ㄱ, ㄷ
④ ㄴ, ㄷ ⑤ ㄱ, ㄴ, ㄷ

해결 Point 오비탈 전자 배치로 원소를 알 수 있다.

신유형 | 2021년 6월 모평 1번 유사 |

**06** 다음은 주기율표에 대한 세 학생의 대화이다.

제시한 내용이 옳은 학생만을 있는 대로 고른 것은?

① A ② C ③ A, B
④ B, C ⑤ A, B, C

해결 Point 최초의 주기율표는 원자량 순서대로, 현대 주기율표는 원자 번호 순서대로 배열하였다.

**07** 그림은 2, 3주기 원소 A~E의 순차 이온화 에너지를 상댓값으로 나타낸 것이다. A~E는 각각 F, Ne, Na Mg, Al 중 하나이다.

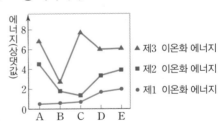

이에 대한 설명으로 옳은 것만을 〈보기〉에서 있는 대로 고른 것은?

┌─ 보기 ─────────────────────────
ㄱ. 원자가 전자 수는 B가 가장 크다.
ㄴ. 홀전자 수가 1인 원소는 3가지이다.
ㄷ. C는 제3 이온화 에너지가 급격하게 증가하는 것으로 보아 원자가 전자 수가 3이다.
└────────────────────────────────

① ㄱ ② ㄴ ③ ㄱ, ㄷ
④ ㄴ, ㄷ ⑤ ㄱ, ㄴ, ㄷ

해결 Point 순차 이온화 에너지를 나타낸 그래프를 분석하여 원소의 특성을 유추한다.

**08** 표는 2, 3주기 원소 A와 B의 순차 이온화 에너지($E_n$)를 나타낸 것이다.

| 원소 | 순차 이온화 에너지(kJ/mol) | | | |
|---|---|---|---|---|
| | $E_1$ | $E_2$ | $E_3$ | $E_4$ |
| A | 801 | 2427 | 3660 | 25026 |
| B | 738 | 1451 | 7733 | 10540 |

이에 대한 설명으로 옳은 것만을 〈보기〉에서 있는 대로 고른 것은? (단, A, B는 임의의 원소 기호이다.)

┌─ 보기 ─
ㄱ. A는 13족 원소이다.
ㄴ. 원자 번호는 A가 B보다 크다.
ㄷ. B가 안정한 이온이 되려면 최소 1451 kJ/mol의 에너지가 필요하다.

① ㄱ   ② ㄴ   ③ ㄱ, ㄷ
④ ㄴ, ㄷ   ⑤ ㄱ, ㄴ, ㄷ

해결 Point  순차 이온화 에너지를 통해 족을 알 수 있다.

**09** 그림은 탄소($_6$C) 원자의 전자 배치를 나타낸 것이다.

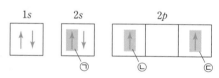

이에 대한 설명으로 옳은 것만을 〈보기〉에서 있는 대로 고른 것은?

┌─ 보기 ─
ㄱ. 방위(부) 양자수($l$)는 ㉠이 ㉡보다 작다.
ㄴ. 자기 양자수($m_l$)는 ㉡과 ㉢이 동일하다.
ㄷ. 위의 전자 배치는 바닥상태의 전자 배치이다.

① ㄱ   ② ㄴ   ③ ㄱ, ㄷ
④ ㄴ, ㄷ   ⑤ ㄱ, ㄴ, ㄷ

해결 Point  쌓음 원리, 파울리 배타 원리, 훈트 규칙을 모두 만족하므로 바닥상태이다.

**10** 그림은 주기율표의 일부를 나타낸 것이다.

| 주기＼족 | 13 | 14 | 15 | 16 | 17 | 18 |
|---|---|---|---|---|---|---|
| 1 | | | | | | |
| 2 | (가) | | | | | |
| 3 | | | | (나) | | (다) |

(가)~(다)에 대한 설명으로 옳은 것만을 〈보기〉에서 있는 대로 고른 것은? (단, (가)~(다)는 바닥상태이다.)

┌─ 보기 ─
ㄱ. 전자가 들어 있는 전자 껍질 수는 (나)와 (다)가 같다.
ㄴ. 홀전자 수는 (가)가 (나)보다 크다.
ㄷ. 원자가 전자 수는 (다)가 가장 크다.

① ㄱ   ② ㄷ   ③ ㄱ, ㄴ
④ ㄴ, ㄷ   ⑤ ㄱ, ㄴ, ㄷ

해결 Point  주기율표의 원소의 전자 배치를 이해한다.

신유형
**11** 다음은 이온 반지름에 대한 세 학생의 대화이다.

제시한 내용이 옳은 학생만을 있는 대로 고른 것은?

① A   ② B   ③ A, B
④ A, C   ⑤ B, C

해결 Point  원자가 이온이 될 때 반지름의 변화를 알 수 있다.

**12** 표는 3주기 원소 A, B, C의 순차 이온화 에너지($E_n$)를 나타낸 것이다.

| 원소 | 순차 이온화 에너지(kJ/mol) | | | |
|---|---|---|---|---|
| | $E_1$ | $E_2$ | $E_3$ | $E_4$ |
| A | 496 | 4562 | 6912 | 9544 |
| B | 738 | 1451 | 7733 | 10540 |
| C | $x$ | 1817 | 2745 | 11578 |

A~C에 대한 설명으로 옳은 것만을 〈보기〉에서 있는 대로 고른 것은? (단, A~C는 임의의 원소 기호이다.)

보기
ㄱ. 원자가 전자 수는 C가 가장 크다.
ㄴ. $x$는 1451보다 크다.
ㄷ. A가 안정한 이온이 되기 위해서 필요한 최소 에너지는 5058 kJ/mol이다.

① ㄱ      ② ㄴ      ③ ㄱ, ㄷ
④ ㄴ, ㄷ      ⑤ ㄱ, ㄴ, ㄷ

**해결 Point** 순차 이온화 에너지를 통해 원자가 전자 수를 알 수 있다.

| 2020년 3월 학평 6번 유사 |

**13** 그림은 주기율표의 일부를 나타낸 것이다.

| 주기＼족 | 1 | 2 | 13 | 14 | 15 | 16 | 17 | 18 |
|---|---|---|---|---|---|---|---|---|
| 2 | A | | | B | | C | | |
| 3 | | | | | | | D | |

이에 대한 설명으로 옳은 것만을 〈보기〉에서 있는 대로 고른 것은? (단, A~D는 임의의 원소 기호이다.)

보기
ㄱ. A~C는 전자 껍질 수가 같다.
ㄴ. 제1 이온화 에너지가 가장 작은 것은 A이다.
ㄷ. B와 C의 홀전자 수의 합은 4이다.

① ㄱ      ② ㄷ      ③ ㄱ, ㄴ
④ ㄱ, ㄷ      ⑤ ㄱ, ㄴ, ㄷ

**해결 Point** 주기율표에서 족과 주기를 구별한다.

신유형 | 2020년 9월 모평 8번 유사 |

**14** 그림은 원자 A~D에 대한 자료이다. A~D는 각각 원자 번호가 15, 16, 19, 20 중 하나이고, A~D 이온의 전자 배치는 모두 Ar과 같다.

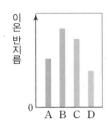 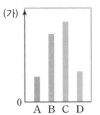

이에 대한 설명으로 옳은 것만을 〈보기〉에서 있는 대로 고른 것은? (단, A~D는 임의의 원소 기호이다.)

보기
ㄱ. '전기 음성도'는 (가)로 적절하다.
ㄴ. 원자가 전자가 느끼는 유효 핵전하는 A<D 이다.
ㄷ. B와 C는 같은 주기의 원소이다.

① ㄱ      ② ㄴ      ③ ㄱ, ㄷ
④ ㄴ, ㄷ      ⑤ ㄱ, ㄴ, ㄷ

**해결 Point** 주기율표의 경향성을 이해하고 있어야 한다.

**| 2014년 6월 모평 10번 유사 |**

**15** 이온 $X^{2+}$과 $Y^{2-}$은 그림과 같이 동일한 전자 배치를 갖는다.

| $1s$ | $2s$ | $2p$ | | | $3s$ | $3p$ | | |
|---|---|---|---|---|---|---|---|---|
| ↑↓ | ↑↓ | ↑↓ | ↑↓ | ↑↓ | ↑↓ | ↑↓ | ↑↓ | ↑↓ |

바닥상태의 원자 X와 Y에 대한 설명으로 옳은 것만을 〈보기〉에서 있는 대로 고른 것은?

보기
ㄱ. 원자 번호는 X가 Y보다 크다.
ㄴ. 원자가 전자 수는 Y가 X보다 크다.
ㄷ. 홀전자 수는 X가 Y보다 크다.

① ㄱ        ② ㄴ        ③ ㄱ, ㄴ
④ ㄴ, ㄷ        ⑤ ㄱ, ㄴ, ㄷ

**해결 Point** 원자가 이온이 될 때 전자 배치를 알 수 있다.

---

(신유형)

**16** 그림은 바닥상태인 원자 A~C의 원자 반지름과 원자가 전자가 느끼는 유효 핵전하를 상댓값으로 나타낸 것이다. A~C는 각각 N, F, P 중 하나이다.

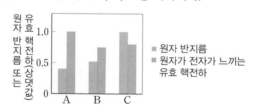

이에 대한 설명으로 옳은 것만을 〈보기〉에서 있는 대로 고른 것은?

보기
ㄱ. A는 3주기 원소이다.
ㄴ. B는 원자가 전자 수가 7이다.
ㄷ. C는 P이다.

① ㄱ        ② ㄴ        ③ ㄷ
④ ㄴ, ㄷ        ⑤ ㄱ, ㄴ, ㄷ

**해결 Point** 원소의 주기적 성질을 알고 있어야 한다.

---

**17** 다음은 2, 3주기 원소 A~C의 바닥상태 원자에 대한 자료이다.

- A~C의 홀전자 수의 합은 8이다.
- A~C 중 A의 홀전자 수가 가장 작다.
- A와 B는 같은 주기의 원소이다.
- A~C의 전자가 들어 있는 오비탈 수의 합은 23이다.

이에 대한 설명으로 옳은 것만을 〈보기〉에서 있는 대로 고른 것은? (단, A~C는 임의의 원소 기호이다.)

보기
ㄱ. A는 16족 원소이다.
ㄴ. B에서 $p$ 오비탈에 있는 전자 수는 6이다.
ㄷ. 원자가 전자가 느끼는 유효 핵전하는 B가 C보다 크다.

① ㄱ        ② ㄴ        ③ ㄱ, ㄷ
④ ㄴ, ㄷ        ⑤ ㄱ, ㄴ, ㄷ

**해결 Point** 원소의 전자 배치를 알고 있어야 한다.

**18** 그림은 2, 3주기 원자 A~C의 원자가 전자 수와 제1 이온화 에너지($E_1$)를 나타낸 것이다.

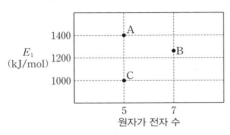

A~C에 대한 설명으로 옳은 것만을 〈보기〉에서 있는 대로 고른 것은? (단, A~C는 임의의 원소 기호이다.)

┌── 보기 ──
ㄱ. A와 B는 2주기 원소이다.
ㄴ. 전기 음성도가 가장 작은 것은 C이다.
ㄷ. 원자 반지름이 가장 큰 것은 A이다.
└──

① ㄱ　　　　② ㄴ　　　　③ ㄱ, ㄷ
④ ㄴ, ㄷ　　　⑤ ㄱ, ㄴ, ㄷ

**해결 Point** 원자가 전자 수를 통해 해당 원소를 추론한다.

| 2021년 6월 모평 10번 유사 |

**19** 다음은 바닥상태 원자 X~Z의 전자 배치이다.

- X: $1s^2 2s^2 2p^5$
- Y: $1s^2 2s^2 2p^6 3s^2$
- Z: $1s^2 2s^2 2p^6 3s^2 3p^2$

바닥상태 원자 X~Z에 대한 설명으로 옳은 것만을 〈보기〉에서 있는 대로 고른 것은? (단, X~Z는 임의의 원소 기호이다.)

┌── 보기 ──
ㄱ. 전자가 들어 있는 전자 껍질 수는 Y>X이다.
ㄴ. 원자가 전자 수는 Y=Z이다.
ㄷ. 홀전자 수는 X>Z이다.
└──

① ㄱ　　　　② ㄷ　　　　③ ㄱ, ㄴ
④ ㄱ, ㄷ　　　⑤ ㄴ, ㄷ

**해결 Point** 오비탈 전자 배치를 통해 다른 관계를 확인한다.

신유형 | 2020년 수능 5번 유사 |

**20** 다음은 2주기 바닥상태 원자 X와 Y에 대한 자료이다.

- X와 Y의 홀전자 수의 합은 5이다.
- 전자가 들어 있는 $p$ 오비탈 수는 Y>X이다.

바닥상태 원자 Y의 전자 배치로 적절한 것은? (단, X와 Y는 임의의 원소 기호이다.)

**해결 Point** X와 Y의 홀전자 수의 합이 5가 되려면, X와 Y는 15족 원소와, 14족, 16족 원소 중 하나여야 한다.

# 04 일차 화학 결합

## 오늘 공부할 내용 미리보기

### 개념 01 이온 결합

## 개념 02 공유 결합

## 개념 03 화학 결합의 종류

## 원소가 결합하는 까닭

① 옥텟 규칙: 비활성 기체 이외의 원자들이 가장 바깥 전자 껍질에 **❶**[    ]개의 전자를 가져 안정한 전자 배치를 이루려는 경향(단, He은 2개)

## 이온 결합

① 이온 결합: 금속 원소의 **❷**[    ]과 비금속 원소의 음이온 사이의 정전기적 인력으로 형성되는 결합

- 수많은 양이온과 음이온이 3차원적으로 서로를 둘러싸며 규칙적으로 배열된 이온 결정으로 되어 있음. ➡ 외부에서 힘을 가하면 쉽게 부스러짐.
- 고체일 때 전기 전도성이 없음, 액체 및 수용액 상태에서 전류가 흐름.

② 이온 결합력이 클수록 녹는점, 끓는점이 높음.

| 화학식 | 이온 간 거리(pm) | 녹는점 (℃) | 화학식 | 이온 간 거리(pm) | 녹는점 (℃) |
|---|---|---|---|---|---|
| NaF | 235 | 996 | MgO | 212 | 2825 |
| NaCl | 283 | 801 | CaO | 240 | 2613 |
| NaBr | 298 | 747 | BaO | 275 | 1973 |

**수능격파 TiP**
이온 결합 물질들의 결합력과 반응 비 등을 이해한다.

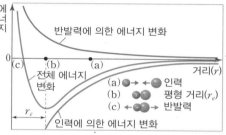

답 | ❶ 8  ❷ 양이온

---

**01** 기출 유형

| 2018년 4월 학평 6번 유사 |

다음은 <u>염화 나트륨(NaCl)의 성질 (가)~(다)</u>에 대한 설명이다.
┌─ 이온 결합 물질

(가) 불꽃 반응색은 노란색이다.
(나) 충격을 가하면 쉽게 부서진다.
(다) 수용액 상태에서 전기 전도성이 있다.

(가)~(다)를 각각 확인하기 위한 실험 장치로 적절한 것만을 〈보기〉에서 있는 대로 고른 것은?

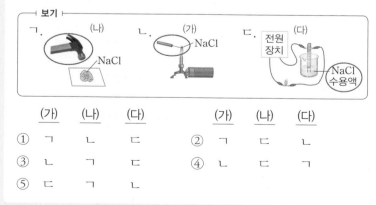

| | (가) | (나) | (다) | | (가) | (나) | (다) |
|---|---|---|---|---|---|---|---|
| ① | ㄱ | ㄴ | ㄷ | ② | ㄱ | ㄷ | ㄴ |
| ③ | ㄴ | ㄱ | ㄷ | ④ | ㄴ | ㄷ | ㄱ |
| ⑤ | ㄷ | ㄱ | ㄴ | | | | |

**문제풀이 TiP** 실험을 통해 각각의 원소를 확인하는 방법을 이해한다.

---

**01** 기출 유사

표는 3가지 실험에 대한 자료이다.

| 실험 | (가) | (나) | (다) |
|---|---|---|---|
| 실험 장치 | 전원 장치 | 전원 장치 | |
| 실험 목적 | 고체의 전기 전도성 확인 | 액체의 전기 전도성 확인 | 불꽃 반응의 불꽃색 확인 |

소금(NaCl)과 설탕($C_{12}H_{22}O_{11}$)을 구별할 수 있는 실험만을 있는 대로 고른 것은?

① (가)  ② (나)  ③ (다)
④ (가), (나)  ⑤ (나), (다)

① 공유 결합: 비금속 원소 사이에 전자쌍을 [ **❶** ] 하여 형성되는 화학 결합

② 공유 결합의 형성: [ **❷** ] 원소의 원자들은 비활성 기체와 같은 전자 배치를 이루기 위해 자신의 전자를 내놓아 전자쌍을 만들고, 그 전자쌍을 공유하여 결합

③ 공유 결합 물질의 성질

| 구분 | 분자 결정(분자성 고체) | 원자 결정(공유 결정) |
|---|---|---|
| 정의 | 분자 간의 약한 인력으로 이루어진 결정 | 모든 원자들이 공유 결합에 의하여 그물처럼 연결된 결정 |
| 특징 | 분자 간의 결합력이 매우 약하며, 일부는 승화성이 있음, 열이나 전기 전도성이 없음 | 매우 단단하며, 열이나 전기 전도성이 없음(단, 흑연 예외) |
| 녹는점과 끓는점 | 매우 낮음 | 매우 높음 |
| 예 | 드라이아이스 | 다이아몬드　　흑연 |

**수능격파 TIP** 🖉
공유 결합이 형성되는 과정과 공유 결합 물질의 성질을 알아야 한다.

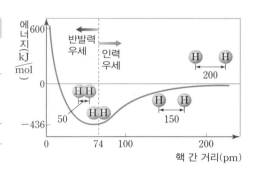

답| **❶** 공유　**❷** 비금속

---

**02** 기출 유형

표는 수소($H_2$), 메테인($CH_4$), 물($H_2O$)의 분자 모형과 끓는점을 나타낸 것이다.

| 분자 | 수소 | 메테인 | 물 |
|---|---|---|---|
| 분자 모형 | H—H | H₄C 구조 | H—O—H |
| 끓는점 (1기압) | −253 ℃ | −164 ℃ | 100 ℃ |

이에 대한 설명으로 옳은 것만을 〈보기〉에서 있는 대로 고른 것은?

┌─ 보기 ├─
ㄱ. 세 물질 모두 공유 결합 물질이다. ― 비금속 원소끼리 결합
ㄴ. 수소($H_2$)는 상온(25 ℃)에서 기체이다. ― 끓는점이 25 ℃보다 낮음
ㄷ. 분자 사이의 인력이 가장 큰 물질은 물($H_2O$)이다. ― 끓는점이 가장 높음

① ㄱ　　　　② ㄴ　　　　③ ㄱ, ㄷ
④ ㄴ, ㄷ　　　　⑤ ㄱ, ㄴ, ㄷ

**문제풀이 ✔TIP** 녹는점과 끓는점은 분자 사이의 결합과 관련이 있다.

---

**02** 기출 유사

그림은 화합물 ABC의 화학 결합 모형을, 표는 화합물 X, Y의 화학식의 구성 원자 수를 나타낸 것이다.

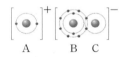

| 화합물 | 구성 원자 수 | | |
|---|---|---|---|
| | A | B | C |
| X | 2 | 1 | 0 |
| Y | 0 | 1 | 2 |

이에 대한 설명으로 옳은 것만을 〈보기〉에서 있는 대로 고른 것은? (단, A~C는 임의의 원소 기호이다.)

┌─ 보기 ├─
ㄱ. A는 Li, B는 O, C는 H이다.
ㄴ. 화합물 X는 공유 결합 물질이다.
ㄷ. 화합물 Y는 공유 결합 물질이다.

① ㄱ　　② ㄴ　　③ ㄱ, ㄷ
④ ㄴ, ㄷ　　⑤ ㄱ, ㄴ, ㄷ

① 금속 결합: 금속 양이온과 ❶ 　　　 사이의 정전기적 인력에 의한 결합

② 자유 전자: 금속 원자가 양이온이 되면서 내놓는 원자가 전자로, ❷ 　　　 사이를 자유롭게 움직이면서 금속 양이온을 결합시키는 역할을 함.

③ 금속 결합 물질의 성질
  • 전기 전도성과 열전도성이 있음.
  • 연성(뽑힘성)과 전성(퍼짐성)이 큼.
  • 녹는점, 끓는점이 높아 대부분 상온에서 고체 상태(단, 수은은 액체)
  • 대부분 은백색이나 회색의 광택을 나타냄.

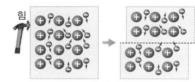
금속 양이온　　자유 전자

수능격파 TIP
금속 결합과 다른 결합의 특징을 비교할 수 있어야 한다.

힘　　　힘
▲ 이온 결정의 성질

▲ 금속 결정의 성질

답 | ❶ 자유 전자　❷ 금속 양이온

---

**03 기출 유형**

그림 (가)는 칼륨(K)의 결정 모형, (나)는 염화 칼륨(KCl)의 결정 모형, (다)는 염화 칼륨(KCl) 수용액의 모형을 나타낸 것이다.

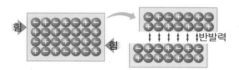

(가)　　　　(나)　　　　　(다)
금속 결정　　이온 결합 물질(고체)　이온 결합 물질(수용액)

이에 대한 설명으로 옳은 것만을 〈보기〉에서 있는 대로 고른 것은?

┌─ 보기 ────────────────
ㄱ. (가)는 금속 결정에 해당한다.
ㄴ. (나)에서는 전류가 흐른다. ─ 이온 결합 물질은 고체에서 전류가 흐르지 않음.
ㄷ. 결정에 힘을 주면 (가)는 늘어나고 (나)는 깨진다.
└────────────────────

① ㄱ　　　　② ㄴ　　　　③ ㄱ, ㄷ
④ ㄴ, ㄷ　　⑤ ㄱ, ㄴ, ㄷ

문제풀이 TIP　결정 모형을 통해 물질이 어떤 결합을 하는지 알아야 한다.

---

**03 기출 유사**

그림은 나트륨 원자의 전자 배치와 금속의 전자 바다 모형을 나타낸 것이다.

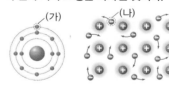
(가)　　　　(나)

이에 대한 설명으로 옳은 것만을 〈보기〉에서 있는 대로 고른 것은?

┌─ 보기 ────────────────
ㄱ. (가)는 원자가 전자이다.
ㄴ. 나트륨 결정에 힘을 주어도 부서지지 않는다.
ㄷ. (나) 때문에 나트륨은 전기 전도성이 있다.
└────────────────────

① ㄱ　　　② ㄷ　　　③ ㄱ, ㄴ
④ ㄴ, ㄷ　　⑤ ㄱ, ㄴ, ㄷ

## 화학 결합의 종류

수능격파 TiP ✎
화학 결합의 차이에 따른 특징을 비교할 수 있어야 한다.

| 화학 결합 | 이온 결합 | 공유 결합 | | 금속 결합 |
|---|---|---|---|---|
| 결정의 종류 | 이온 결정 | ❶ | 공유 결정 | 금속 결정 |
| 결정 입자 | 양이온과 음이온 | 분자 | 원자 | 금속 양이온과 자유 전자 |
| 물에 대한 용해성 | 잘 녹음 | 물질 종류에 따라 다름 | 녹지 않음 | 녹지 않음 |
| 전기 전도성 　고체 | 없음 | 없음 | 없음 (단, 흑연은 예외) | 있음 |
| 전기 전도성 　액체 | ❷ | 없음 | 없음 | 있음 |
| 녹는점, 끓는점 | 높음 | 낮음 | 매우 높음 | 비교적 높음 |
| 그 외의 특성 | 힘을 가하면 쉽게 부서짐 | 승화성을 띠는 물질이 많음 | 매우 단단함 | 힘을 가하면 넓게 펴지거나 뽑힘 |
| 예 | 염화 나트륨, 산화 칼슘 | 드라이아이스, 아이오딘, 설탕 | 다이아몬드, 흑연, 석영 | 철, 나트륨 |

답| ❶ 분자 결정　❷ 있음

---

**04** 기출 유형

| 2021년 수능 4번 유사 |

다음은 3가지 물질이다.

> 철(Fe)　　　염화 칼륨(KCl)　　　흑연(C)

이에 대한 설명으로 옳은 것만을 〈보기〉에서 있는 대로 고른 것은?

┌── 보기 ──
ㄱ. $Fe(s)$은 금속 양이온과 자유 전자로 구성되어 있다.— 금속 결합 물질

ㄴ. $KCl(l)$은 전기 전도성이 있다.— 이온 결합 물질은 액체에서 전류가 흐름.

ㄷ. $C(s, 흑연)$은 원자들 사이에 공유 결합을 하는 공유 결정이다.
└──────

① ㄱ　　　　　② ㄷ　　　　　③ ㄱ, ㄴ

④ ㄴ, ㄷ　　　　⑤ ㄱ, ㄴ, ㄷ

문제풀이 ✔TIP　각각의 물질이 화학 결합이 다름을 안다.

---

**04** 기출 유사

표는 물질 (가)~(다)에 대한 자료이다. (가)~(다)는 각각 구리(Cu), 설탕($C_{12}H_{22}O_{11}$), 염화 칼슘($CaCl_2$) 중 하나이다.

| 물질 | 전기 전도성 | |
|---|---|---|
| | 고체 상태 | 액체 상태 |
| (가) | 없음 | 없음 |
| (나) | 없음 | 있음 |
| (다) | 있음 | 있음 |

이에 대한 설명으로 옳은 것만을 〈보기〉에서 있는 대로 고른 것은?

┌── 보기 ──
ㄱ. (가)는 설탕이다.

ㄴ. (나)에 힘을 가하면 부스러진다.

ㄷ. (다)는 금속 양이온과 자유 전자로 구성되어 있다.
└──────

① ㄱ　　　　　② ㄴ　　　　　③ ㄱ, ㄷ

④ ㄴ, ㄷ　　　　⑤ ㄱ, ㄴ, ㄷ

신유형 | 2020년 수능 2번 유사 |

**01** 다음은 물 분자의 화학 결합 모형과 이에 대한 세 학생의 대화이다.

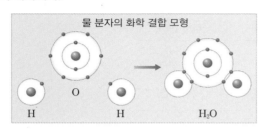

제시한 내용이 옳은 학생만을 있는 대로 고른 것은?

① A      ② C      ③ A, B
④ B, C      ⑤ A, B, C

해결 Point 옥텟 규칙은 원자가 전자 8개를 채우는 것이다.

| 2020년 4월 학평 2번 유사 |

**02** 그림은 나트륨의 결합 모형과 다이아몬드의 구조 모형을 나타낸 것이다. 이에 대한 설명으로 옳은 것만을 〈보기〉에서 있는 대로 고른 것은?

┌─ 보기 ─────────────────────
ㄱ. ㉠은 자유 전자이다.
ㄴ. 나트륨은 금속 결합 물질이다.
ㄷ. 고체 상태에서 전기 전도성은 나트륨이 다이아몬드보다 크다.
└──────────────────────────

① ㄱ      ② ㄴ      ③ ㄱ, ㄷ
④ ㄴ, ㄷ      ⑤ ㄱ, ㄴ, ㄷ

해결 Point 금속 결합과 공유 결합을 모형으로 구별한다.

신유형

**03** 그림은 3가지 물질을 주어진 기준에 따라 분류한 것이다.

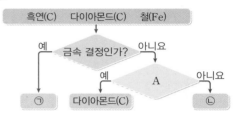

이에 대한 설명으로 옳은 것만을 〈보기〉에서 있는 대로 고른 것은?

┌─ 보기 ─────────────────────
ㄱ. ㉠은 철이다.
ㄴ. ㉡은 고체 상태에서 전류가 흐르지 않는다.
ㄷ. A로 '고체 상태에서 전류가 흐르는가?'는 적절하다.
└──────────────────────────

① ㄱ      ② ㄴ      ③ ㄱ, ㄷ
④ ㄴ, ㄷ      ⑤ ㄱ, ㄴ, ㄷ

해결 Point 탄소의 동소체는 모두 공유 결합을 한다.

**04** 그림은 원자 A~D의 전자 배치 모형을 나타낸 것이다.

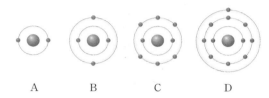

A     B     C     D

이에 대한 설명으로 옳은 것만을 〈보기〉에서 있는 대로 고른 것은? (단, A~D는 임의의 원소 기호이다.)

┌─ 보기 ─
ㄱ. $C_2$는 공유 결합 물질이다.
ㄴ. C와 D의 결합은 금속 결합이다.
ㄷ. A와 B의 결합 비는 2 : 1이다.
└─

① ㄱ      ② ㄷ      ③ ㄱ, ㄴ
④ ㄴ, ㄷ      ⑤ ㄱ, ㄴ, ㄷ

**해결 Point** 전자 배치를 보고 어떤 결합을 할지 예측한다.

**05** 다음은 원자 A~D의 전자 배치를 나타낸 것이다.

- A: $1s^2 2s^2 2p^3$
- B: $1s^2 2s^2 2p^6 3s^2$
- C: $1s^2 2s^2 2p^6 3s^1$
- D: $1s^2 2s^2 2p^6 3s^2 3p^6$

위의 원자들이 모두 옥텟 규칙을 만족하기 위해 각각 잃거나 얻어야 하는 전자의 개수를 모두 합한 값은? (단, A~D는 임의의 원소 기호이고, 전자의 개수는 출입에 상관없이 모두 더한다.)

① 4      ② 5      ③ 6
④ 7      ⑤ 8

**해결 Point** 옥텟 규칙을 만족하기 위해서는 가장 바깥 전자 껍질의 전자가 8개여야 한다.

신유형
**06** 그림은 2가지 탄소 동소체의 구조를 나타낸 것이다.

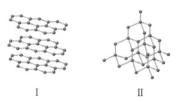

Ⅰ        Ⅱ

이에 대한 설명으로 옳은 것만을 〈보기〉에서 있는 대로 고른 것은?

┌─ 보기 ─
ㄱ. Ⅰ은 분자 결정, Ⅱ는 공유 결정이다.
ㄴ. Ⅰ과 Ⅱ의 화학식은 모두 C이다.
ㄷ. 1몰의 Ⅱ를 완전 연소시켰을 때 2몰의 $CO_2$ 가 생성된다.
└─

① ㄴ      ② ㄷ      ③ ㄱ, ㄴ
④ ㄱ, ㄷ      ⑤ ㄴ, ㄷ

**해결 Point** 동소체들의 각각의 성질이 다른 점을 알아야 한다.

**07** 화학 결합에 대한 설명으로 옳은 것만을 〈보기〉에서 있는 대로 고른 것은?

┌─ 보기 ─
ㄱ. 이온 결합은 양이온과 음이온으로 구성되어 있다.
ㄴ. 18족 원소는 다른 원소와 화학 결합을 형성한다.
ㄷ. 공유 결합은 금속 양이온과 자유 전자로 구성되어 있다.
└─

① ㄱ      ② ㄷ      ③ ㄱ, ㄴ
④ ㄴ, ㄷ      ⑤ ㄱ, ㄴ, ㄷ

**해결 Point** 비활성 기체는 안정하여 결합을 형성하지 않는다.

**[신유형]**

**08** 표는 3가지 물질의 녹는점을 나타낸 것이며, 물질 (가)~(다)는 각각 $NaF$, $NaBr$, $MgO$ 중 하나이다.

| 물질 | (가) | (나) | (다) |
|---|---|---|---|
| 녹는점(℃) | 2825 | 747 | 996 |

물질 (가)~(다)로 옳은 것은?

|  | (가) | (나) | (다) |
|---|---|---|---|
| ① | NaF | NaBr | MgO |
| ② | NaF | MgO | NaBr |
| ③ | MgO | NaBr | NaF |
| ④ | NaBr | NaF | MgO |
| ⑤ | MgO | NaF | NaBr |

**해결 Point** 이온 결합 물질에서 녹는점과 전하량, 이온 간 거리를 비교할 수 있다.

| 2016년 9월 모평 5번 유사 |

**09** 그림은 분자 (가)와 (나)를 화학 결합 모형으로 나타낸 것이다.

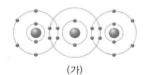
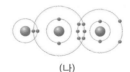

(가)　　　　　(나)

이에 대한 설명으로 옳지 <u>않은</u> 것은?

① (가)에서 모든 원자는 옥텟 규칙을 만족한다.

② (가)와 (나)는 모두 공유 결합을 한다.

③ (가)와 (나)에는 모두 탄소가 포함되어 있다.

④ (나)의 공유 전자쌍 수는 2이다.

⑤ (가)는 $CO_2$, (나)는 $HCN$이다.

**해결 Point** 전자 배치를 보고 분자를 예측할 수 있다.

**10** 그림은 화합물 $AB$와 $BC_2$의 결합 모형을 나타낸 것이다.

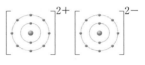
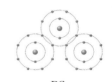

AB　　　　　　$BC_2$

이에 대한 설명으로 옳은 것만을 〈보기〉에서 있는 대로 고른 것은? (단, A~C는 임의의 원소 기호이다.)

┌─ 보기 ─────────────────
ㄱ. $AB$는 $MgO$이다.
ㄴ. $BC_2$는 $OCl_2$이다.
ㄷ. 고체일 때 $AB$는 전기 전도성이 있고, $BC_2$는 전기 전도성이 없다.
└────────────────────────

① ㄱ　　　　② ㄷ　　　　③ ㄱ, ㄴ
④ ㄱ, ㄷ　　　⑤ ㄴ, ㄷ

**해결 Point** 전자 배치를 통해 결합을 예측할 수 있다.

**11** 그림은 물질 AB와 CD의 화학 결합을 모형으로 나타낸 것이다.

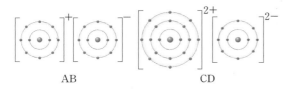

이에 대한 설명으로 옳은 것만을 〈보기〉에서 있는 대로 고른 것은? (단, A~D는 임의의 원소 기호이다.)

┌─ 보기 ┐
ㄱ. A와 B는 같은 주기 원소이다.
ㄴ. 두 물질은 모두 이온 결합 물질이다.
ㄷ. CD는 액체 상태에서 전기 전도성이 있다.
└──────┘

① ㄴ      ② ㄷ      ③ ㄱ, ㄴ
④ ㄱ, ㄷ      ⑤ ㄴ, ㄷ

해결 Point   이온 결합 모형을 보고 화합물을 알 수 있다.

| 2018년 3월 학평 10번 유사 |

**12** 그림은 화합물 ABC와 DE의 결합 모형을 나타낸 것이다.

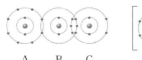 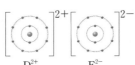

이에 대한 설명으로 옳은 것만을 〈보기〉에서 있는 대로 고른 것은? (단, A~E는 임의의 원소 기호이다.)

┌─ 보기 ┐
ㄱ. ABC는 공유 결합 물질이다.
ㄴ. DE는 이온 결합 물질이다.
ㄷ. D와 A가 결합하면 이온 결합 물질이 생성된다.
└──────┘

① ㄱ      ② ㄷ      ③ ㄱ, ㄴ
④ ㄴ, ㄷ      ⑤ ㄱ, ㄴ, ㄷ

해결 Point   원자 모형을 보고 각 원자를 알아낼 수 있다.

**13** 그림은 원자 X~Z의 전자 배치 모형을, 표는 X~Z의 플루오린 화합물 (가)~(다)의 화학식을 나타낸 것이다.

| 물질 | (가) | (나) | (다) |
|------|------|------|------|
| 화학식 | XF | ZF | $YF_3$ |

이에 대한 설명으로 옳은 것만을 〈보기〉에서 있는 대로 고른 것은? (단, X~Z는 임의의 원소 기호이다.)

┌─ 보기 ┐
ㄱ. (가)는 공유 결합을 한다.
ㄴ. (나)는 이온 결합을 한다.
ㄷ. (다)는 공유 결합을 한다.
└──────┘

① ㄱ      ② ㄷ      ③ ㄱ, ㄴ
④ ㄱ, ㄷ      ⑤ ㄱ, ㄴ, ㄷ

해결 Point   원자 모형을 보고 결합을 예측할 수 있다.

**14** 표는 고체 결정 A~C에 대한 자료이다.

| 물질 | 녹는점(°C) | 전기 전도성 | |
|------|-----------|------|------|
| | | 고체 | 액체 |
| A | 4440 | 있음 | 있음 |
| B | 660 | 없음 | 없음 |
| C | 2613 | 없음 | 있음 |

이에 대한 설명으로 옳은 것은?

① A는 공유 결합 물질이다.

② B는 양이온과 음이온으로 이루어진 물질이다.

③ 화학 결합의 세기는 C가 A보다 강하다.

④ B는 망치로 치면 깨지지 않고 얇게 펴진다.

⑤ 고체 상태인 C에 힘을 가하면 쉽게 부스러진다.

**해결 Point** 물질의 성질로 화학 결합을 확인할 수 있다.

신유형 | 2014년 7월 학평 9번 유사 |

**15** 그림 (가)는 고체 염화 나트륨(NaCl)을 가열하여 녹인 것을, (나)는 고체 염화 나트륨을 증류수에 녹인 것을 나타낸 것이다.

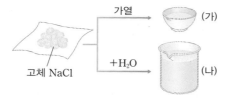

이에 대한 설명으로 옳은 것만을 〈보기〉에서 있는 대로 고른 것은?

┌─ 보기 ─
ㄱ. (가)와 (나)에는 $Na^+$이 존재한다.

ㄴ. (가)는 전류가 흐르지 않는다.

ㄷ. (나)를 증발시키면 다시 NaCl을 얻을 수 있다.
└─

① ㄱ          ② ㄴ          ③ ㄱ, ㄷ

④ ㄴ, ㄷ       ⑤ ㄱ, ㄴ, ㄷ

**해결 Point** 이온 결합의 특징을 확인한다.

| 2015년 수능 13번 유사 |

**16** 그림은 주기율표의 일부를, 표는 안정한 화합물 (가)~(라)의 화학식을 나타낸 것이다.

| 주기＼족 | 1 | 2 | 13 | 14 | 15 | 16 | 17 | 18 |
|------|---|---|----|----|----|----|----|----|
| 1 | A | | | | | | | |
| 2 | | | | B | | C | D | |
| 3 | | E | | | | | | |

| 화합물 | (가) | (나) | (다) | (라) |
|--------|------|------|------|------|
| 화학식 | AD | $A_2C$ | $B_xD_4$ | $ED_y$ |

이에 대한 설명으로 옳은 것만을 〈보기〉에서 있는 대로 고른 것은? (단, A~E는 임의의 원소 기호이다.)

┌─ 보기 ─
ㄱ. $x + y = 3$이다.

ㄴ. (가)는 이온 결합 물질이다.

ㄷ. (나)와 (라)는 공유 결합 물질이다.
└─

① ㄱ          ② ㄷ          ③ ㄱ, ㄴ

④ ㄴ, ㄷ       ⑤ ㄱ, ㄴ, ㄷ

**해결 Point** 주기율표의 원자를 알고, 화합물의 결합을 알아야 한다.

**17** 그림은 실온에서 3가지 물질의 입자 모형을 나타낸 것이다.

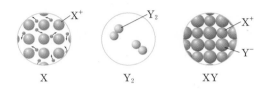

이에 대한 설명으로 옳은 것만을 〈보기〉에서 있는 대로 고른 것은?

┌─ 보기 ├─
ㄱ. X와 XY에서 $X^+$은 같다.
ㄴ. $Y_2$는 공유 결합 물질이다.
ㄷ. XY는 이온 결합 물질이다.

① ㄱ　　　　② ㄷ　　　　③ ㄱ, ㄴ
④ ㄴ, ㄷ　　　⑤ ㄱ, ㄴ, ㄷ

**해결 Point** 입자 모형으로 결합을 알 수 있다.

**18** 그림은 3가지 고체 (가)~(다)의 결정 구조를 모형으로 나타낸 것이다.

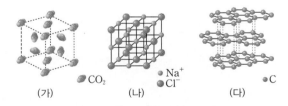

(가)~(다)에 대한 설명으로 옳지 <u>않은</u> 것은?
① (가)는 분자 결정이다.
② (나)는 양이온과 음이온이 결합한 이온 결정이다.
③ (다)는 흑연이다.
④ 화학 결합의 종류는 (가)와 (나)가 같다.
⑤ (다)는 공유 결합이지만 전기 전도성이 있다.

**해결 Point** 결정 구조를 통해 화학 결합을 알 수 있어야 한다.

**19** 그림은 고체 A~C를 분류하는 과정을 나타낸 것이다. A~C는 각각 구리, 흑연, 염화 나트륨 중 하나이다.

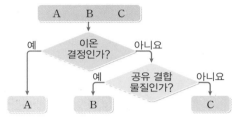

A와 C로 옳은 것은?

|  | A | C |  | A | C |
|---|---|---|---|---|---|
| ① | 구리 | 흑연 | ② | 구리 | 염화 나트륨 |
| ③ | 흑연 | 구리 | ④ | 흑연 | 염화 나트륨 |
| ⑤ | 염화 나트륨 | 구리 |  |  |  |

**해결 Point** B는 이온 결정이 아니고 공유 결합 물질인 것, C는 이온 결정이 아니면서 공유 결합 물질이 아닌 것이다.

**20** 그림은 은반지에서 은(Ag)의 금속 결합 모형을 나타낸 것이다.

이에 대한 설명으로 옳은 것만을 〈보기〉에서 있는 대로 고른 것은?

┌─ 보기 ├─
ㄱ. 은반지를 망치로 두드리면 부서진다.
ㄴ. 은반지는 금속 양이온 B와 자유 전자 A로 이루어져 있다.
ㄷ. 은반지에 전압을 걸어 주면 전류가 흐른다.

① ㄱ　　　　② ㄷ　　　　③ ㄱ, ㄴ
④ ㄱ, ㄷ　　　⑤ ㄴ, ㄷ

**해결 Point** 금속 결합의 특징을 이해하여야 한다.

# 05 일차 분자의 구조와 성질

오늘 공부할 내용 **미리보기**

## 개념 01 전기 음성도

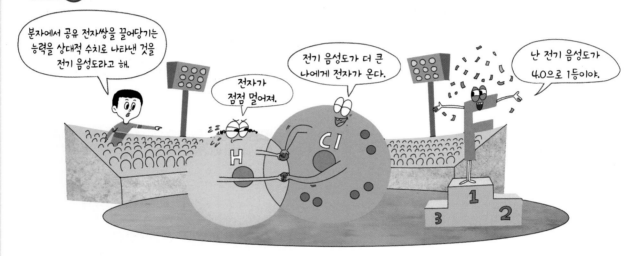

## 개념 02 결합의 극성

## 개념 03 분자의 구조

## 개념 04 극성 분자와 무극성 분자

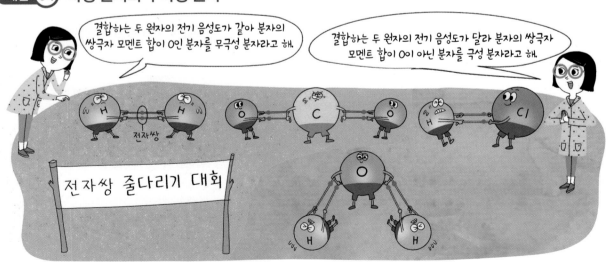

○ **전기 음성도**

① 전기 음성도: 공유 결합을 이루고 있는 두 원자가 전자쌍을 끌어당기는 힘을 상대적인 값으로 나타낸 것이며, **❶** [ ]의 전기 음성도를 4.0으로 정하고, 이것과 비교하여 상대적으로 정함.

• 같은 주기: 원자 번호가 클수록 전기 음성도가 대체로 **❷** [ ]

• 같은 족: 원자 번호가 클수록 전기 음성도가 대체로 감소

○ **결합의 극성**

① 쌍극자 모멘트: 공유 결합에서 극성의 정도를 나타내는 척도

② 무극성 공유 결합: 같은 원자 사이에 형성되는 공유 결합으로, 두 원자의 전기 음성도가 같아 공유 전자쌍의 치우침이 없는 결합. 결합하는 원자들은 부분적인 전하를 띠지 않음.

③ 극성 공유 결합: 서로 다른 원자 사이에 형성되는 공유 결합으로, 전기 음성도 차이에 의해 공유 전자쌍이 한쪽으로 치우치는 결합

무극성 공유 결합      극성 공유 결합

**수능격파 TIP** 🐾
전기 음성도는 공유 결합뿐 아니라 주기율표의 경향과 관련되어 출제될 수 있다.

답 | **❶** 플루오린(F)   **❷** 증가

---

**01** 기출 유형

| 2020년 4월 학평 3번 유사 |

그림은 3가지 물질의 전하 분포를 모형으로 나타낸 것이다.

(가)      (나)      (다)

이에 대한 설명으로 옳은 것만을 〈보기〉에서 있는 대로 고른 것은?

┌ **보기** ┐

ㄱ. 극성 공유 결합을 하는 물질은 ~~(가)~~와 (나)이다. — (가)는 이온 결합

ㄴ. 결합의 쌍극자 모멘트 합은 (나) > (다)이다. — (나)는 극성, (다)는 무극성

ㄷ. 전기 음성도는 X ~~>~~ Y이다. — Y > X

① ㄱ      ② ㄴ      ③ ㄱ, ㄷ

④ ㄴ, ㄷ      ⑤ ㄱ, ㄴ, ㄷ

**문제풀이** ✔**TIP** 전기 음성도가 큰 원자가 공유 전자쌍을 끌어당기면 부분적인 음전하를 띤다.

---

**01** 기출 유사

그림은 플루오린(F)을 포함한 분자 (가)~(다)의 쌍극자 모멘트와 구성 원소 간의 전기 음성도 차를 나타낸 것이다. (가)~(다)는 각각 $XF_2$, $YF_3$, $ZF_4$ 중 하나이며, X~Z는 2주기 원소이다.

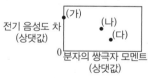

이에 대한 설명으로 옳은 것만을 〈보기〉에서 있는 대로 고른 것은? (단, X~Z는 임의의 원소 기호이다.)

┌ **보기** ┐

ㄱ. (나)는 극성 공유 결합을 한다.

ㄴ. 전기 음성도는 F이 가장 크다.

ㄷ. (다)는 무극성 공유 결합을 한다.

① ㄱ      ② ㄴ      ③ ㄷ

④ ㄱ, ㄴ      ⑤ ㄱ, ㄷ

### 루이스 전자점식

공유 결합을 설명하기 위해 원소 기호 주위에 **❶** [＿＿＿]를 점으로 찍어 나타내는 방법

**수능격파 TIP**
루이스 전자점식을 이용하여 물질을 나타낼 수 있어야 한다.

| 주기＼족 | 1 | 2 | 13 | 14 | 15 | 16 | 17 | 18 |
|---|---|---|---|---|---|---|---|---|
| 1 | H· | | | | | | | ·He |
| 2 | Li· | ·Be | ·B· | ·C· | ·N· | :O· | :F: | :Ne: |
| 3 | Na· | ·Mg | ·Al· | ·Si· | ·P· | :S· | :Cl: | :Ar: |

\* 18족의 원자가 전자 수는 0이지만, 루이스 전자점식을 나타낼 때는 옥텟 규칙을 만족하도록 모두 그려 준다.

### 루이스 구조식

① 공유 전자쌍: 두 원자 사이에 **❷** [＿＿＿]되어 공유 결합을 하는 전자쌍

② 비공유 전자쌍: 공유 결합에는 참여하지 않고 한 원자에만 속해 있는 전자쌍

③ 루이스 구조식: 공유 전자쌍을 결합선(-)으로 나타낸 분자의 구조식

| 단일 결합 | | 다중 결합 | |
|---|---|---|---|
| H:Cl: | H-Cl: | :O::O: | :N⋮⋮N: |
| 루이스 전자점식 | 루이스 구조식 | 2중 결합 | 3중 결합 |

**답 | ❶** 원자가 전자 **❷** 공유

---

**02** 기출 유형

그림은 분자 (가)~(다)의 루이스 전자점식을 나타낸 것이다.

$$\text{H:F:} \qquad \text{H:N:H} \qquad \text{H:C:H}$$

(가)　　　(나)　　　(다)

이에 대한 설명으로 옳은 것만을 〈보기〉에서 있는 대로 고른 것은?

┌ 보기 ┐
ㄱ. (가)는 극성 공유 결합을 한다. - 다른 원자 사이의 공유 결합
ㄴ. (나)는 ~~평면~~ 구조이다. - 삼각뿔형(입체)
ㄷ. (다)에는 비공유 전자쌍이 ~~3개~~ 있다. - 없음
└──────┘

① ㄱ　　　　② ㄴ　　　　③ ㄷ
④ ㄱ, ㄴ　　⑤ ㄴ, ㄷ

**문제풀이 ✔TIP** 공유 전자쌍과 비공유 전자쌍의 개수를 이용해 분자의 모양을 파악한다.

---

**02** 기출 유사

그림은 산소($O_2$)의 루이스 전자점식을 나타낸 것이다.

$$\text{:O::O:}$$

$O_2$에서 비공유 전자쌍 수는?

① 6　　　② 5　　　③ 4
④ 3　　　⑤ 2

**전자쌍 반발 이론**

중심 원자 주위에 있는 전자쌍들이 정전기적 **❶** [    ] 을 최소화하기 위해 가능한 한 멀리 떨어져 배치되려 한다는 이론

수능격파 TiP
전자쌍 반발 이론을 이용하여 분자의 구조를 나타낼 수 있어야 한다.

**분자의 구조**

| 공유 전자쌍 수 | 2 | 3 | 4 | 3 | 2 |
|---|---|---|---|---|---|
| 비공유 전자쌍 수 | 0 | 0 | 0 | 1 | 2 |
| 루이스 구조식 | H−Be−H | :Cl: B :Cl: :Cl: | H−C−H (H,H) | N H H H | O H H |
| 분자 모형 | H Be H 180° | Cl B Cl Cl 120° | H C H H H 109.5° | N H H H 107° | O H H 104.5° |
| 분자 구조 | 직선형 | 평면 삼각형 | **❷** [    ] | 삼각뿔형 | 굽은 형 |
| 결합각 | 180° | 120° | 109.5° | 107° | 104.5° |

\* 전자쌍 수는 중심 원자 기준이다.

답 | ❶ 반발력 ❷ 정사면체형

**03** 기출 유형

| 2021년 수능 6번 유사 |

그림은 분자 (가)~(다)의 구조식을 나타낸 것이다.

O=C=O        F−N−F          F−C−F
                  |            |  |
                  F          F  F
(가)무극성    (나)극성      (다) 무극성

(가)~(다)에 대한 설명으로 옳은 것만을 〈보기〉에서 있는 대로 고른 것은?

보기
ㄱ. 극성 공유 결합을 하는 분자는 2가지이다. ─(가), (나), (다)
ㄴ. 무극성 분자는 2가지이다. ─(가), (다)
ㄷ. 입체 모양인 것은 2가지이다. ─(나), (다)

① ㄱ  ② ㄴ  ③ ㄷ
④ ㄱ, ㄴ  ⑤ ㄴ, ㄷ

문제풀이 TiP 극성 공유 결합을 하더라도 무극성 분자일 수 있다.

**03** 기출 유사

그림은 분자 (가)~(다)의 구조식을 나타낸 것이다.

H−C≡N      F−B−F        F−C−F
                  |          |  |
                  F        F  F
(가)          (나)          (다)

이에 대한 설명으로 옳은 것만을 〈보기〉에서 있는 대로 고른 것은?

보기
ㄱ. (가)는 무극성 공유 결합을 한다.
ㄴ. (나)는 중심 원자에 비공유 전자쌍이 없다.
ㄷ. (다)의 결합각은 109.5°이다.

① ㄱ  ② ㄴ  ③ ㄷ
④ ㄱ, ㄴ  ⑤ ㄴ, ㄷ

① 무극성 분자: 분자 내 전하가 고르게 분포되어 있어 부분 전하를 갖지 않음.
② 극성 분자: 분자 내 전하의 분포가 고르지 않아 부분 전하를 가짐.

**수능격파 TIP**
분자의 구조를 통해 극성의 유무를 판단할 수 있어야 한다.

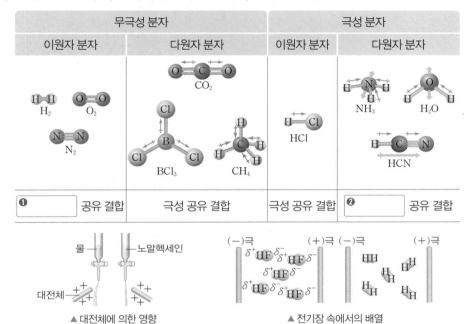

| 무극성 분자 | | 극성 분자 | |
|---|---|---|---|
| 이원자 분자 | 다원자 분자 | 이원자 분자 | 다원자 분자 |
| $H_2$, $O_2$, $N_2$ | $CO_2$, $BCl_3$, $CH_4$ | $HCl$ | $NH_3$, $H_2O$, $HCN$ |
| ❶    공유 결합 | 극성 공유 결합 | 극성 공유 결합 | ❷    공유 결합 |

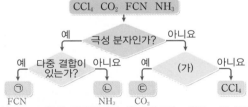

▲ 대전체에 의한 영향

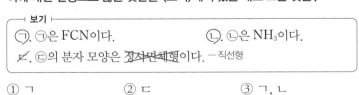

▲ 전기장 속에서의 배열

**답 | ❶** 무극성 **❷** 극성

---

**04** 기출 유형

| 2020년 수능 11번 유사 |

그림은 4가지 분자를 주어진 기준에 따라 분류한 것이다. ㉠~㉢은 각각 $CO_2$, FCN, $NH_3$ 중 하나이다.

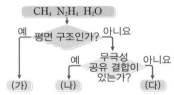

이에 대한 설명으로 옳은 것만을 〈보기〉에서 있는 대로 고른 것은?

┌─ 보기 ┐
㉠. ㉠은 FCN이다.
㉡. ㉡은 $NH_3$이다.
㉢. ㉢의 분자 모양은 ~~정사면체형~~이다. ─직선형
└─────────┘

① ㄱ      ② ㄷ      ③ ㄱ, ㄴ

④ ㄴ, ㄷ      ⑤ ㄱ, ㄴ, ㄷ

**문제풀이 TIP** 먼저 분자의 구조를 그린 후 문제를 푼다.

---

**04** 기출 유사

그림은 3가지 분자를 주어진 기준에 따라 분류한 것이다.

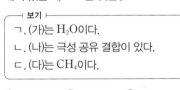

이에 대한 설명으로 옳은 것만을 〈보기〉에서 있는 대로 고른 것은?

┌─ 보기 ┐
ㄱ. (가)는 $H_2O$이다.
ㄴ. (나)는 극성 공유 결합이 있다.
ㄷ. (다)는 $CH_4$이다.
└─────────┘

① ㄱ      ② ㄷ      ③ ㄱ, ㄴ

④ ㄴ, ㄷ      ⑤ ㄱ, ㄴ, ㄷ

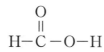

| 2021년 6월 모평 3번 유사 |

**01** 그림은 폼산(HCOOH)의 구조식을 나타낸 것이다.

$$
\begin{array}{c}
O \\
\parallel \\
H-C-O-H
\end{array}
$$

HCOOH에서 $\dfrac{\text{비공유 전자쌍 수}}{\text{공유 전자쌍 수}}$ 는?

① $\dfrac{1}{3}$   ② $\dfrac{1}{2}$   ③ 1

④ $\dfrac{4}{5}$   ⑤ 5

**해결 Point** 산소에 있는 비공유 전자쌍을 생각한다.

**02** 그림은 분자 (가)와 (나)의 루이스 전자점식을 나타낸 것이다.

$$H:\ddot{\underset{\cdot\cdot}{F}}: \qquad H:\ddot{N}:H$$
$$\phantom{H:\ddot{N}:}H$$

$$\text{(가)} \qquad\qquad \text{(나)}$$

이에 대한 설명으로 옳은 것만을 〈보기〉에서 있는 대로 고른 것은?

┤ 보기 ├

ㄱ. (가)는 극성 분자이다.

ㄴ. (나)의 분자 구조는 삼각뿔형이다.

ㄷ. (나)에는 극성 공유 결합이 있다.

① ㄱ   ② ㄴ   ③ ㄷ

④ ㄱ, ㄴ   ⑤ ㄱ, ㄴ, ㄷ

**해결 Point** 루이스 전자점식으로 된 분자의 구조와 극성을 알아야 한다.

(신유형) | 2020년 3월 학평 7번 유사 |

**03** 그림은 2, 3주기 원소 X~Z로 이루어진 3가지 물질의 루이스 전자점식을 나타낸 것이다. 원자 번호는 X>Y>Z이다.

$$X^{a+}\left[:\ddot{\underset{\cdot\cdot}{Y}}:\right]^{a-} \quad :\ddot{Y}::\ddot{Y}: \quad :\ddot{Y}::Z::\ddot{Y}:$$

이에 대한 설명으로 옳은 것만을 〈보기〉에서 있는 대로 고른 것은? (단, X~Z는 임의의 원소 기호이다.)

┤ 보기 ├

ㄱ. X는 Mg이다.

ㄴ. $a=2$이다.

ㄷ. $ZY_2$는 극성 분자이다.

① ㄱ   ② ㄷ   ③ ㄱ, ㄴ

④ ㄴ, ㄷ   ⑤ ㄱ, ㄴ, ㄷ

**해결 Point** 이온 결합 물질부터 어떤 원자인지 추론한다.

**04** 그림은 분자 (가)와 (나)의 루이스 전자점식을 나타낸 것이다. A~C는 1, 2주기 원소이다.

$$A:\ddot{B}:A \qquad :\ddot{B}::C::\ddot{B}:$$

$$\text{(가)} \qquad\qquad \text{(나)}$$

이에 대한 설명으로 옳은 것만을 〈보기〉에서 있는 대로 고른 것은? (단, A~C는 임의의 원소 기호이다.)

┤ 보기 ├

ㄱ. (가) 분자의 쌍극자 모멘트는 0이다.

ㄴ. (나)의 분자 구조는 직선형이다.

ㄷ. $CA_4$의 모든 원자는 동일 평면에 있다.

① ㄱ   ② ㄴ   ③ ㄱ, ㄷ

④ ㄴ, ㄷ   ⑤ ㄱ, ㄴ, ㄷ

**해결 Point** 루이스 전자점식을 보고 먼저 분자의 구조를 확인한다.

**05** 그림은 몇 가지 분자를 루이스 전자점식으로 나타낸 것이다.

$$
\begin{array}{ccc}
\ddot{\text{O}} & :\ddot{\text{Cl}} & \\
\text{H}:\ddot{\text{C}}:\text{H} & :\ddot{\text{Cl}}:\ddot{\text{B}}:\ddot{\text{Cl}}: & \text{H}:\ddot{\text{N}}:\text{H} \\
& :\ddot{\text{Cl}}: & \text{H}
\end{array}
$$

(가)          (나)          (다)

이에 대한 설명으로 옳은 것만을 〈보기〉에서 있는 대로 고른 것은?

┌─ 보기 ├─
ㄱ. (가)의 구성 원자는 모두 옥텟 규칙을 만족한다.
ㄴ. (나)의 중심 원자는 옥텟 규칙을 만족한다.
ㄷ. (다)는 극성 분자이다.

① ㄱ          ② ㄷ          ③ ㄱ, ㄴ
④ ㄱ, ㄷ          ⑤ ㄴ, ㄷ

**해결 Point** 중심 원자의 공유 전자쌍과 비공유 전자쌍의 개수를 통해 분자의 구조를 예측한다.

**06** 다음은 2~4주기 2족 원소의 염소 화합물이다.

$$
\text{BeCl}_2 \qquad \text{MgCl}_2 \qquad \text{CaCl}_2
$$

이에 대한 설명으로 옳은 것만을 〈보기〉에서 있는 대로 고른 것은?

┌─ 보기 ├─
ㄱ. $\text{BeCl}_2$은 이온 결합 물질이다.
ㄴ. $\text{MgCl}_2$은 공유 결합 물질이다.
ㄷ. $\text{CaCl}_2$은 이온 결합 물질이다.

① ㄱ          ② ㄷ          ③ ㄱ, ㄴ
④ ㄴ, ㄷ          ⑤ ㄱ, ㄴ, ㄷ

**해결 Point** 같은 족 원자라도 예외적으로 공유 결합을 하는 물질이 있다.

(신유형)

**07** 그림은 학생 A가 작성한 루이스 전자점식에 대한 활동지이다.

┌─────────────────────────────┐
**루이스 전자점식 나타내기**

(1) 그림은 O, F의 루이스 전자점식이다.

$$\cdot\ddot{\text{O}}\cdot \qquad :\ddot{\text{F}}:$$

(2) 물질을 구성하는 모든 원자 또는 이온이 옥텟 규칙을 만족하도록 (가)~(다)의 루이스 전자점식을 나타내시오.

| 물질 | 화학식 | 루이스 전자점식 |
|------|--------|----------------|
| (가) | $F_2$ | $:\ddot{\text{F}}:\ddot{\text{F}}:$ |
| (나) | $OF_2$ | $:\ddot{\text{F}}:\ddot{\text{O}}:\ddot{\text{F}}:$ |
| (다) | $F^-$ | $\left[:\ddot{\text{F}}:\right]^-$ |
└─────────────────────────────┘

물질 (가)~(다) 중 학생 A가 루이스 전자점식으로 옳게 나타낸 것만을 있는 대로 고른 것은?

① (가)          ② (나)          ③ (가), (다)
④ (나), (다)          ⑤ (가), (나), (다)

**해결 Point** 공유 전자쌍은 전자 2개가 한 쌍이다.

**08** 그림은 2주기 원자 X~Z의 루이스 전자점식을 나타낸 것이다.

$$\cdot \ddot{X} \cdot \qquad \cdot \dot{Y} \cdot \qquad :\ddot{Z}:$$

이에 대한 설명으로 옳은 것만을 〈보기〉에서 있는 대로 고른 것은? (단, X~Z는 임의의 원소 기호이다.)

── 보기 ──
ㄱ. $X_2$는 공유 전자쌍이 3개 있다.
ㄴ. $YZ_2$는 중심 원자에 비공유 전자쌍이 2개 있다.
ㄷ. $Z_2$는 무극성 분자이다.

① ㄱ  ② ㄷ  ③ ㄱ, ㄴ
④ ㄱ, ㄷ  ⑤ ㄱ, ㄴ, ㄷ

**해결 Point** 루이스 전자점식을 통해 원자 X, Y, Z를 예측한다.

**09** 그림은 2주기 원소로 이루어진 분자 (가)~(다)의 구조식을 나타낸 것이다. (가)~(다)에서 X~Z는 모두 옥텟 규칙을 만족한다.

$$\begin{matrix} & Y & \\ & | & \\ Y & - X - & Y \\ & | & \\ & Y & \end{matrix} \qquad \begin{matrix} & Z & \\ & \| & \\ Y & - X - & Y \end{matrix} \qquad Y - Z - Y$$

(가)  (나)  (다)

이에 대한 설명으로 옳은 것만을 〈보기〉에서 있는 대로 고른 것은? (단, X~Z는 임의의 원소 기호이다.)

── 보기 ──
ㄱ. (나)의 중심 원자는 옥텟 규칙을 만족하지 않는다.
ㄴ. (가)는 극성 공유 결합을 하는 무극성 분자이다.
ㄷ. (다)의 중심 원자에는 비공유 전자쌍이 있다.

① ㄱ  ② ㄴ  ③ ㄱ, ㄷ
④ ㄴ, ㄷ  ⑤ ㄱ, ㄴ, ㄷ

**해결 Point** (가)~(다)에서 X~Z가 모두 옥텟 규칙을 만족할 때 X~Z의 원자가 전자 수를 예상한다.

**신유형** | 2017년 수능 7번 유사 |

**10** 다음은 분자 (가)~(다)에 대한 자료이다.

• (가)~(다)의 분자식

| 분자 | (가) | (나) | (다) |
|------|------|------|------|
| 분자식 | $WX_2Y$ | $YZ_2$ | $WY_2$ |

• W~Z는 각각 H, C, O, F 중 하나이고, 전기 음성도는 X가 가장 작다.
• (가)~(다)의 중심 원자는 옥텟 규칙을 만족한다.

(가)~(다)에 대한 설명으로 옳은 것만을 〈보기〉에서 있는 대로 고른 것은?

── 보기 ──
ㄱ. X는 H이다.
ㄴ. (가)는 $CH_2O$이다.
ㄷ. (나)는 극성 분자이고, (다)는 무극성 분자이다.

① ㄱ  ② ㄴ  ③ ㄱ, ㄷ
④ ㄴ, ㄷ  ⑤ ㄱ, ㄴ, ㄷ

**해결 Point** 전기 음성도가 가장 작은 원소부터 찾는다.

**11** 표는 중심 원자가 탄소(C)인 분자 (가)~(다)에 대한 자료이다. (가)~(다)에서 모든 원자는 옥텟 규칙을 만족한다.

| 분자 | (가) | (나) | (다) |
|---|---|---|---|
| 구성 원소 | C, O | C, F | C, O, F |
| 구성 원자 수 | 3 | 5 | 4 |
| 비공유 전자쌍 수 | 4 | 12 | 8 |

이에 대한 설명으로 옳은 것만을 〈보기〉에서 있는 대로 고른 것은?

┌─ 보기 ┐
ㄱ. (가)는 극성 분자이다.
ㄴ. (나)의 분자 모양은 정사면체형이다.
ㄷ. (다)를 구성하는 모든 원자는 같은 평면에 존재한다.
└─────┘

① ㄱ          ② ㄴ          ③ ㄱ, ㄷ
④ ㄴ, ㄷ      ⑤ ㄱ, ㄴ, ㄷ

**해결 Point** 원자 C, O, F의 원자가 전자 수를 고려하여 각 원자가 분자 내 결합할 때 각 원자의 비공유 전자쌍 수를 먼저 확인한다.

**12** 그림은 에타인($C_2H_2$)과 다이아젠($N_2H_2$)의 구조식을 나타낸 것이다.

$$H-C\equiv C-H \qquad H-N=N-H$$

이에 대한 설명으로 옳은 것만을 〈보기〉에서 있는 대로 고른 것은?

┌─ 보기 ┐
ㄱ. $C_2H_2$은 무극성 분자이다.
ㄴ. $N_2H_2$에는 비공유 전자쌍이 있다.
ㄷ. $C_2H_2$과 $N_2H_2$의 분자 모양은 모두 직선형이다.
└─────┘

① ㄱ          ② ㄷ          ③ ㄱ, ㄴ
④ ㄴ, ㄷ      ⑤ ㄱ, ㄴ, ㄷ

**해결 Point** $C_2H_2$은 직선형이지만, $N_2H_2$은 질소에 비공유 전자쌍이 있어 직선형이 아니다.

신유형 | 2020년 4월 학평 4번 유사 |

**13** 그림은 $BCl_3$, $NH_3$의 결합각을 기준으로 분류한 영역 I~III을 나타낸 것이다. $\alpha$, $\beta$는 각각 $BCl_3$, $NH_3$의 결합각 중 하나이다.

이에 대한 설명으로 옳은 것만을 〈보기〉에서 있는 대로 고른 것은?

┌─ 보기 ┐
ㄱ. $\alpha$는 120°이다.
ㄴ. $BCl_3$의 분자 모양은 평면 삼각형이다.
ㄷ. $CO_2$의 결합각은 II의 영역에 있다.
└─────┘

① ㄱ          ② ㄴ          ③ ㄱ, ㄷ
④ ㄴ, ㄷ      ⑤ ㄱ, ㄴ, ㄷ

**해결 Point** $CO_2$의 결합각은 180°이다.

| 2016년 3월 학평 10번 유사 |

**14** 표는 3가지 분자 $H_2O$, $CO_2$, $CF_4$를 주어진 기준에 따라 각각 분류한 결과를 나타낸 것이다.

| 분류 기준 | 예 | 아니요 |
|---|---|---|
| (가) | $CF_4$ | $H_2O$, $CO_2$ |
| 다중 결합이 있는가? | ㉠ | ㉡ |
| 극성 분자인가? | ㉢ | ㉣ |

이에 대한 설명으로 옳은 것만을 〈보기〉에서 있는 대로 고른 것은?

┌─ 보기 ┐
ㄱ. (가)로 '직선형인가?'가 적절하다.
ㄴ. ㉠에는 $CO_2$가 포함된다.
ㄷ. ㉢에는 $H_2O$이 포함된다.
└─────┘

① ㄱ          ② ㄴ          ③ ㄱ, ㄷ
④ ㄴ, ㄷ      ⑤ ㄱ, ㄴ, ㄷ

**해결 Point** $H_2O$은 굽은 형, $CO_2$는 직선형이다.

**15** 그림 (가)와 (나)는 원자 A~C가 화합물을 생성하는 과정을 모형으로 나타낸 것이다.

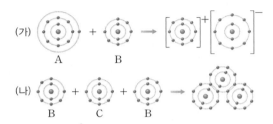

이에 대한 설명으로 옳은 것만을 〈보기〉에서 있는 대로 고른 것은? (단, A~C는 임의의 원소 기호이다.)

┌ 보기 ┐
ㄱ. (가)의 생성물을 구성하는 이온은 옥텟 규칙을 만족한다.
ㄴ. (나)의 생성물에서 B는 옥텟 규칙을 만족하지 않는다.
ㄷ. (가)의 생성물은 이온 결합 물질이고, (나)의 생성물은 공유 결합 물질이다.
└─────┘

① ㄱ          ② ㄴ          ③ ㄱ, ㄷ
④ ㄴ, ㄷ       ⑤ ㄱ, ㄴ, ㄷ

**해결 Point** (가)는 이온 결합을 하고 (나)는 공유 결합을 한다.

**16** 다음은 분자 X에 대한 자료이다.

• 구성 원소는 2주기 원소이다.
• 무극성 분자이다.
• 옥텟 규칙을 만족한다.
• 비공유 전자쌍의 수는 4이다.

X는?

① HF          ② $N_2$          ③ $O_2$
④ $F_2$         ⑤ $H_2O$

**해결 Point** 무극성 분자 중 비공유 전자쌍 수가 4인 것을 고른다.

---

**신유형** | 2015년 10월 학평 17번 유사 |

**17** 다음은 4가지 분자를 주어진 기준에 따라 각각 분류한 것이다.

[분자]
$H_2O$      $NH_3$      $BF_3$      $CCl_4$

[분류]

| 기준 | 예 | 아니요 |
|---|---|---|
| 모든 원자가 동일한 평면에 있는가? | (가) | (나) |
| 극성 분자인가? | (다) | (라) |
| 중심 원자가 옥텟 규칙을 만족하는가? | (마) | (바) |

이에 대한 설명으로 옳은 것만을 〈보기〉에서 있는 대로 고른 것은?

┌ 보기 ┐
ㄱ. (가)에 해당하는 분자는 2가지이다.
ㄴ. (라)에 해당하는 분자는 1가지이다.
ㄷ. (바)에 해당하는 분자는 없다.
└─────┘

① ㄱ          ② ㄴ          ③ ㄱ, ㄷ
④ ㄴ, ㄷ       ⑤ ㄱ, ㄴ, ㄷ

**해결 Point** 중심 원자의 전자쌍 수와 각 원자의 전기 음성도를 비교하여 제시된 분자를 분류한다.

**18** 그림은 물질 AB와 $BC_2$의 화학 결합을 모형으로 나타낸 것이다.

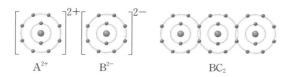

$A^{2+}$     $B^{2-}$     $BC_2$

$A_xC_y$의 화학 결합 모형으로 가장 적절한 것은? (단, A~C는 임의의 원소 기호이며, $A_xC_y$에서 구성 입자는 모두 옥텟 규칙을 만족한다.)

①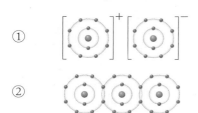

②

③

④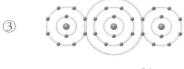

⑤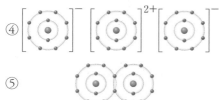

**해결 Point** A는 금속 원소 Mg이고, C는 비금속 원소 F이다.

**19** 그림은 액체 A와 B를 각각 뷰렛에 넣어 가느다란 물줄기가 흐르도록 한 다음, 대전된 에보나이트 막대를 액체 줄기에 가까이 대었을 때의 모습을 나타낸 것이다.

액체 A ── 에보나이트 막대 (가)
액체 B ── 에보나이트 막대 (나)

이에 대한 설명으로 옳은 것만을 〈보기〉에서 있는 대로 고른 것은?

┤ 보기 ├
ㄱ. A는 극성 물질이다.
ㄴ. B는 무극성 공유 결합을 통해서만 생성된다.
ㄷ. (가)에 에보나이트 막대와 반대의 전하를 띤 대전체를 대면 액체 줄기가 반대로 밀려난다.

① ㄱ     ② ㄴ     ③ ㄱ, ㄷ
④ ㄴ, ㄷ     ⑤ ㄱ, ㄴ, ㄷ

**해결 Point** 액체 A는 극성이고, 액체 B는 무극성이다.

(신유형)
**20** 다음은 분자의 구조와 성질을 학습하기 위한 탐구이다.

(가) 분자식이 적힌 구슬이 주머니에 들어 있다.
(나) 주머니에서 구슬을 1개 꺼내고, 꺼낸 구슬의 점수를 다음 기준에 따라 더한다.
(다) 기준 점수는 0점이다.

| 기준 | 점수 |
|---|---|
| 극성 분자이다. | +3 |
| 무극성 공유 결합을 한다. | +2 |
| 다중 결합이 있다. | -1 |

꺼낸 구슬에 HCN이 적혀 있다면 몇 점인가?

① 1     ② 2     ③ 3
④ 4     ⑤ 5

**해결 Point** HCN는 극성 분자이다.

## 오늘 공부할 내용 미리보기

### 개념 01 동적 평형

열린 그릇에서는 물의 증발 속도가 수증기의 응결 속도보다 빠르므로 물의 양이 줄어들어.

밀폐된 그릇에서는 물의 증발 속도와 수증기의 응결 속도가 같으므로 물의 양이 일정해. 이런 현상을 동적 평형이라고 해.

### 개념 02 물의 자동 이온화와 pH

수용액 속에 들어 있는 $H_3O^+$의 농도를 간단히 나타낸 것을 수소 이온 농도 지수(pH)라고 해.

pOH는 수용액 속에 들어 있는 $OH^-$의 농도를 간단히 나타낸 것이야.

| pH | 0 | 1 | 2 | 3 | 4 | 5 | 6 | 7 | 8 | 9 | 10 | 11 | 12 | 13 | 14 |
|---|---|---|---|---|---|---|---|---|---|---|---|---|---|---|---|
| 수용액의 액성 | | 산성 | | | | | | 중성 | | | | | 염기성 | | |
| pOH | 14 | 13 | 12 | 11 | 10 | 9 | 8 | 7 | 6 | 5 | 4 | 3 | 2 | 1 | 0 |

## 개념 03 산 염기

## 개념 04 중화 반응

## ○ 동적 평형

① 가역 반응: 정반응과 역반응이 모두 일어날 수 있는 반응

② 동적 평형: 가역 반응에서 정반응 속도와 [ **❶** ] 속도가 같아서 겉으로는 변화가 일어나지 않는 것처럼 보이는 상태 ➡ 정반응과 역반응이 끊임없이 일어나고 있는 상태

③ 처음에는 증발 속도＞응축 속도, 시간이 지나면서 증발 속도＝응축 속도인 [ **❷** ]에 도달

수능격파 TiP
겉으로는 멈추어 있는 것 같지만 정반응과 역반응의 속도가 같은 것이 동적 평형이다.

응결≪증발   응결＜증발   응결＝증발

답| ❶ 역반응  ❷ 동적 평형

---

**01** 기출 유형

| 2021년 수능 8번 유사 |

표는 밀폐된 진공 용기 안에 X(l)를 넣은 후 시간에 따른 X의 $\dfrac{\text{응축 속도}}{\text{증발 속도}}$ 와 $\dfrac{X(g)\text{의 양(mol)}}{X(l)\text{의 양(mol)}}$ 에 대한 자료이다. $0<t_1<t_2<t_3$이고, $c>1$이다.

| 시간 | $t_1$ | $t_2$ | $t_3$ |
|---|---|---|---|
| $\dfrac{\text{응축 속도}}{\text{증발 속도}}$ | $a<1$ | $b<1$ | ① 동적 평형 |
| $\dfrac{X(g)\text{의 양(mol)}}{X(l)\text{의 양(mol)}}$ | | 1 | $c>1$ |

이에 대한 설명으로 옳은 것만을 〈보기〉에서 있는 대로 고른 것은? (단, 온도는 일정하다.)

보기
ㄱ. 증발 속도는 일정하다.
ㄴ. 동적 평형 상태가 될 때까지 응축 속도는 점점 ~~감소~~한다. ─ 증가
ㄷ. ~~$t_2$~~에서 X(l)와 X(g)는 동적 평형을 이루고 있다. ─ $t_3$

① ㄱ  ② ㄴ  ③ ㄱ, ㄷ
④ ㄴ, ㄷ  ⑤ ㄱ, ㄴ, ㄷ

문제풀이 ✔TIP  증발 속도는 일정하고, 응축 속도는 증가하다가 동적 평형에 도달한다.

---

**01** 기출 유사

일정한 온도의 밀폐 용기 속에서 적갈색의 이산화 질소($NO_2$)와 무색의 사산화 이질소($N_2O_4$)는 다음과 같은 동적 평형에 도달한다.

$$2NO_2(g) \underset{\text{(나)}}{\overset{\text{(가)}}{\rightleftarrows}} N_2O_4(g)$$

이 상태에 대한 설명으로 옳은 것만을 〈보기〉에서 있는 대로 고른 것은?

보기
ㄱ. 용기 속에 $NO_2$의 농도는 일정하게 유지된다.
ㄴ. $NO_2$와 $N_2O_4$의 반응 몰비는 2 : 1이다.
ㄷ. (가) 반응의 속도와 (나) 반응의 속도가 같다.

① ㄱ  ② ㄷ  ③ ㄱ, ㄴ
④ ㄴ, ㄷ  ⑤ ㄱ, ㄴ, ㄷ

◉ **물의 자동 이온화**

**수능격파 TIP**
pH가 1 차이가 나면 농도가 10 배 차이가 난다.

① 물의 자동 이온화: 순수한 물에서 매우 적은 양의 물 분자끼리 ❶ ___ ($H^+$)을 주고받아 하이드로늄 이온($H_3O^+$)과 수산화 이온($OH^-$)으로 이온화하는 현상

② 물의 이온화 상수($K_w$): 물이 자동 이온화하여 평형 상태를 이룰 때의 평형 상수

$$H_2O + H_2O \rightleftharpoons H_3O^+ + OH^-$$
$$\text{산} \quad \text{염기} \quad\quad \text{산} \quad \text{염기}$$
$$K_w = [H_3O^+][OH^-] = 1.0 \times 10^{-14} \ (25\ ℃에서)$$

◉ **pH와 pOH**

① pH: 수용액 속 $[H^+]$의 ❷ ___ 의 상용로그 값

② pOH: 수용액 속 $[OH^-]$의 역수의 상용로그 값

③ 25 ℃에서 pH + pOH = 14임.

$$pH = \log\frac{1}{[H^+]} = -\log[H^+] \Rightarrow [H^+] = 10^{-pH}$$
$$pOH = \log\frac{1}{[OH^-]} = -\log[OH^-] \Rightarrow [OH^-] = 10^{-pOH}$$

| $[H_3O^+]$ | 1 | $10^{-1}$ | $10^{-2}$ | $10^{-3}$ | $10^{-4}$ | $10^{-5}$ | $10^{-6}$ | $10^{-7}$ | $10^{-8}$ | $10^{-9}$ | $10^{-10}$ | $10^{-11}$ | $10^{-12}$ | $10^{-13}$ | $10^{-14}$ |
|---|---|---|---|---|---|---|---|---|---|---|---|---|---|---|---|
| pH | 0 | 1 | 2 | 3 | 4 | 5 | 6 | 7 | 8 | 9 | 10 | 11 | 12 | 13 | 14 |
| 수용액의 액성 | ← 산성 | | | | | 중성 | | | | | 염기성 | | | | → |
| pOH | 14 | 13 | 12 | 11 | 10 | 9 | 8 | 7 | 6 | 5 | 4 | 3 | 2 | 1 | 0 |
| $[OH^-]$ | $10^{-14}$ | $10^{-13}$ | $10^{-12}$ | $10^{-11}$ | $10^{-10}$ | $10^{-9}$ | $10^{-8}$ | $10^{-7}$ | $10^{-6}$ | $10^{-5}$ | $10^{-4}$ | $10^{-3}$ | $10^{-2}$ | $10^{-1}$ | 1 |

**답|** ❶ 수소 이온 ❷ 역수

**02** 기출 유형

| 2020년 4월 학평 10번 유사 |

표는 25 ℃에서 수용액 (가), (나)의 $H_3O^+$의 몰 농도를 나타낸 것이다.

| 수용액 | (가) | (나) |
|---|---|---|
| $[H_3O^+]$ | $1.0 \times 10^{-5}$ M | $1.0 \times 10^{-9}$ M |

25 ℃에서 이에 대한 설명으로 옳은 것만을 〈보기〉에서 있는 대로 고른 것은?

┤ 보기 ├
ㄱ. (가)의 pH는 ~~8~~이다. —5
ㄴ. (나)는 염기성이다. — pH=9
ㄷ. (나)에서 pH + pOH = 14이다.

① ㄱ  ② ㄴ  ③ ㄱ, ㄷ
④ ㄴ, ㄷ  ⑤ ㄱ, ㄴ, ㄷ

**문제풀이 TIP** 수소 이온의 몰 농도가 크면 수산화 이온의 몰 농도는 작다.

**02** 기출 유사

25 ℃ 수용액의 pH에 대한 설명으로 옳은 것만을 〈보기〉에서 있는 대로 고른 것은?

┤ 보기 ├
ㄱ. pH 7인 수용액은 중성이다.
ㄴ. pOH 3인 수용액의 pH는 11이다.
ㄷ. $\dfrac{\text{pH 2인 수용액의 } [H_3O^+]}{\text{pH 4인 수용액의 } [H_3O^+]} = 100$ 이다.

① ㄱ  ② ㄷ  ③ ㄱ, ㄷ
④ ㄴ, ㄷ  ⑤ ㄱ, ㄴ, ㄷ

① 아레니우스 산과 염기

|  | 아레니우스 산 | 아레니우스 염기 |
|---|---|---|
| 정의 | 수용액에서 이온화하여 **❶**$(H^+)$ 을 내놓는 물질<br>산 → $H^+$ + 음이온 | 수용액에서 이온화하여 **❷**$(OH^-)$을 내놓는 물질<br>염기 → 양이온 + $OH^-$ |
| 특징 | • 신맛이 남<br>• 탄산 칼슘, 대리석, 석회석 등과 반응하여 이산화 탄소 기체를 발생시킴 | • 대부분 쓴맛이 남<br>• 단백질을 녹이는 성질이 있어서 손에 닿으면 미끈거림 |

② 브뢴스테드·로리의 산과 염기
  • 산: 양성자$(H^+)$를 줄 수 있는 분자나 이온
  • 염기: 양성자$(H^+)$를 받을 수 있는 분자나 이온

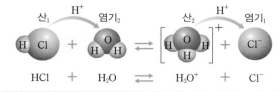

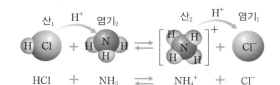

$$HCl + H_2O \rightleftharpoons H_3O^+ + Cl^-$$

$$HCl + NH_3 \rightleftharpoons NH_4^+ + Cl^-$$

| $HCl$는 $H_2O$에게 $H^+$를 주므로 브뢴스테드·로리 산이고, $H_2O$은 $HCl$로부터 $H^+$를 받으므로 브뢴스테드·로리 염기이다. | $HCl$는 $NH_3$에게 $H^+$를 주므로 브뢴스테드·로리 산이고, $NH_3$는 $HCl$로부터 $H^+$를 받으므로 브뢴스테드·로리 염기이다. |

③ 양쪽성 물질: 산으로도 작용할 수 있고 염기로도 작용할 수 있는 물질
  예 $H_2O$, $HS^-$, $HCO_3^-$, $HSO_4^-$

답| ❶ 수소 이온  ❷ 수산화 이온

---

**03** 기출 유형

| 2015년 4월 학평 2번 유사 |

다음은 산 염기 반응의 화학 반응식이다.

> (가) $NH_3 + HF \rightarrow NH_4^+ + F^-$
> (나) $HClO_4 + H_2O \rightarrow ClO_4^- + H_3O^+$

이에 대한 설명으로 옳은 것만을 〈보기〉에서 있는 대로 고른 것은?

┤ 보기 ├
ㄱ. (가)에서 $NH_3$는 브뢴스테드·로리 염기이다. —$H^+$를 받음.
ㄴ. (나)에서 $H_2O$은 산이다. —브뢴스테드·로리 염기
ㄷ. (나)에서 $HClO_4$은 아레니우스 염기이다. —산

① ㄱ          ② ㄴ          ③ ㄱ, ㄷ
④ ㄴ, ㄷ         ⑤ ㄱ, ㄴ, ㄷ

문제풀이 TIP  브뢴스테드·로리 염기는 양성자 받개이다.

---

**03** 기출 유사

물$(H_2O)$이 브뢴스테드·로리 산으로 작용하는 것만을 〈보기〉에서 있는 대로 고른 것은?

┤ 보기 ├
ㄱ. $H_2O(l) + HF(aq) \longrightarrow$
  $H_3O^+(aq) + F^-(aq)$
ㄴ. $NH_3(aq) + H_2O(l) \longrightarrow$
  $NH_4^+(aq) + OH^-(aq)$
ㄷ. $HCO_3^-(aq) + H_2O(l) \longrightarrow$
  $H_2CO_3(aq) + OH^-(aq)$

① ㄱ          ② ㄴ          ③ ㄷ
④ ㄱ, ㄴ         ⑤ ㄴ, ㄷ

① 중화 반응: 산과 염기가 반응하여 **❶**〔　　　〕과 염이 생성되는 반응

**수능격파 TiP**
중화 반응에서 산의 $H^+$과 염기의 $OH^-$이 1 : 1의 몰비로 반응한다는 것을 알아야 한다.

- 중화 반응의 알짜 이온 반응식: 실제 반응에 참여한 이온만으로 나타낸 화학 반응식

$$H^+(aq) + OH^-(aq) \longrightarrow H_2O(l)$$

② 중화 반응의 양적 관계

| 산 수용액 |
| --- |
| 산의 가수 $n$, 몰 농도 $M$, 부피 $V$ |
| 산이 내놓은 $H^+$의 양(mol) $= nMV$ |

| 염기 수용액 |
| --- |
| 염기의 가수 $n'$, 몰 농도 $M'$, 부피 $V'$ |
| 염기가 내놓은 $OH^-$의 양(mol) $= n'M'V'$ |

③ 중화 적정: 중화 반응의 양적 관계를 이용하여 농도를 모르는 산 또는 염기의 농도를 알아내는 방법 ➡ 농도를 모르는 용액에 지시약을 넣고 **❷**〔　　　〕을 떨어뜨렸을 때 용액의 색이 변하는 지점에서 $H^+$ 또는 $OH^-$의 양(mol)을 구함.

| 산과 염기가 완전히 중화되려면 |
| --- |
| $nMV = n'M'V'$ |

**답 | ❶** 물  **❷** 표준 용액

---

**04** 기출 유형

그림은 0.1 M 염산(HCl) 10 mL와 $x$ M 수산화 나트륨(NaOH) 수용액 15 mL를 혼합한 용액에 들어 있는 이온을 모형으로 나타낸 것이다.

△ $Cl^-$
● $Na^+$
▢ $OH^-$

이에 대한 설명으로 옳은 것만을 〈보기〉에서 있는 대로 고른 것은?

┌ 보기 ┐
ㄱ. △과 ●은 구경꾼 이온이다. — 반응에 참여하지 않음.
ㄴ. 혼합 용액은 ~~중성~~이다. — $OH^-$이 있으므로 염기성
ㄷ. 혼합 용액에 0.1 M HCl(aq) 20 mL를 넣으면 완전히 중화된다.
└─ $H^+$ 2N개

① ㄴ　　　　② ㄷ　　　　③ ㄱ, ㄴ
④ ㄱ, ㄷ　　　⑤ ㄱ, ㄴ, ㄷ

**문제풀이 ✔TiP**  중화 반응이 완결되려면 $H^+$과 $OH^-$이 같은 양(mol)이어야 한다.

---

**04** 기출 유사

그림은 25 °C에서 0.2 M 수산화 나트륨(NaOH) 수용액 50 mL에 $x$ M 염산(HCl)을 차례대로 넣어 반응시키는 모습을 이온 모형으로 나타낸 것이다.

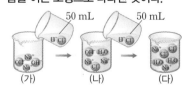

이에 대한 설명으로 옳은 것만을 〈보기〉에서 있는 대로 고른 것은? (단, 물의 이온화 상수($K_w$)는 $1.0 \times 10^{-14}$이고, 혼합 용액의 부피는 혼합 전 각 용액의 부피의 합과 같다.)

┌ 보기 ┐
ㄱ. $x = 0.2$이다.
ㄴ. (나)는 산성이다.
ㄷ. (다)의 $[OH^-] = 1 \times 10^{-7}$ M이다.

① ㄱ　　　② ㄴ　　　③ ㄷ
④ ㄴ, ㄷ　　⑤ ㄱ, ㄴ, ㄷ

# 기초력 집중드릴

| 2019년 수능 8번 유사 |

**01** 그림은 분자 (가)와 (나)의 구조식을 나타낸 것이다.

$$\begin{array}{ccc} & H & O \\ & | & \| \\ H_2N-C&-C&-OH \\ & | & \\ & H & \end{array} \qquad \begin{array}{ccc} & H & O \\ & | & \| \\ H-C&-C&-OH \\ & | & \\ & H & \end{array}$$

(가)　　　　　　(나)

이에 대한 설명으로 옳은 것만을 〈보기〉에서 있는 대로 고른 것은?

┌ 보기 ├
ㄱ. (가)는 아레니우스 염기이다.
ㄴ. (나)는 아레니우스 산이다.
ㄷ. (나)를 NaOH($aq$)에 녹일 때 (나)는 브뢴스테드·로리 산으로 작용한다.

① ㄱ 　　　② ㄷ 　　　③ ㄱ, ㄴ
④ ㄴ, ㄷ 　　　⑤ ㄱ, ㄴ, ㄷ

**해결 Point** (가)는 양쪽성 물질이고 (나)는 아세트산이다.

**02** 다음은 산 염기 반응 (가)~(다)의 화학 반응식이다.

(가) $H_2CO_3 + H_2O \rightleftarrows HCO_3^- + H_3O^+$
(나) $HS^- + H_2O \rightleftarrows H_2S + OH^-$
(다) $CN^- + H_2O \rightleftarrows HCN + OH^-$

(가)~(다) 중 $H_2O$이 브뢴스테드·로리 염기로 작용하는 반응만을 있는 대로 고른 것은?

① (가) 　　　② (나) 　　　③ (다)
④ (가), (다) 　　　⑤ (나), (다)

**해결 Point** 브뢴스테드·로리 염기는 $H^+$를 받는다.

**03** 그림은 일정한 온도에서 밀폐된 용기에 물을 넣었을 때, 시간에 따른 물의 증발 속도와 수증기의 응축 속도를 나타낸 것이다. (가)와 (나)는 각각 증발 속도와 응축 속도 중 하나이다.

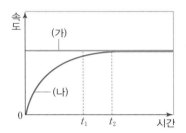

이에 대한 설명으로 옳은 것만을 〈보기〉에서 있는 대로 고른 것은?

┌ 보기 ├
ㄱ. (나)는 응축 속도이다.
ㄴ. $t_1$에서 동적 평형에 도달하였다.
ㄷ. 수증기 분자 수는 점점 증가하다가 $t_2$에서 일정해진다.

① ㄱ 　　　② ㄴ 　　　③ ㄱ, ㄷ
④ ㄴ, ㄷ 　　　⑤ ㄱ, ㄴ, ㄷ

**해결 Point** 증발 속도와 응축 속도가 같아질 때가 동적 평형 상태이다.

| 2016년 10월 학평 9번 유사 |

**04** 다음은 물질 X와 관련된 화학 반응식이다.

> (가) $\boxed{X}$ + NaOH $\longrightarrow$ NaCl + $H_2O$
> (나) $NH_3$ + $\boxed{X}$ $\longrightarrow$ $NH_4^+$ + $Cl^-$
> (다) $\boxed{X}$ + $H_2O$ $\longrightarrow$ $H_3O^+$ + $Cl^-$

이에 대한 설명으로 옳은 것만을 〈보기〉에서 있는 대로 고른 것은?

> ┤ 보기 ├
> ㄱ. X는 HCl이다.
> ㄴ. (나)에서 $NH_3$는 브뢴스테드·로리 산이다.
> ㄷ. (다)에서 $H_2O$은 브뢴스테드·로리 염기이다.

① ㄱ　　　② ㄷ　　　③ ㄱ, ㄴ
④ ㄱ, ㄷ　　　⑤ ㄱ, ㄴ, ㄷ

**해결 Point** 브뢴스테드·로리 산은 $H^+$를 준다.

**05** 그림과 같이 0.1 M 묽은 염산(HCl) 50 mL와 0.1 M 수산화 나트륨(NaOH) 수용액 50 mL를 혼합하였다.

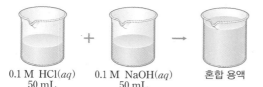

0.1 M  HCl($aq$)　　0.1 M  NaOH($aq$)　　혼합 용액
50 mL　　　　　50 mL

이에 대한 설명으로 옳은 것만을 〈보기〉에서 있는 대로 고른 것은? (단, 혼합 용액의 온도는 25 ℃이다.)

> ┤ 보기 ├
> ㄱ. 두 용액의 농도는 같다.
> ㄴ. 혼합 용액은 중성이다.
> ㄷ. 혼합 용액에 페놀프탈레인 용액을 떨어뜨리면 붉게 변한다.

① ㄱ　　　② ㄷ　　　③ ㄱ, ㄴ
④ ㄴ, ㄷ　　　⑤ ㄱ, ㄴ, ㄷ

**해결 Point** 수소 이온과 수산화 이온의 양(mol)이 같을 때 중화 반응이 완전히 일어난다.

**06** 그림은 묽은 염산과 수산화 나트륨 수용액을 부피를 달리하여 반응시켰을 때 혼합 용액의 최고 온도를 나타낸 것이다.

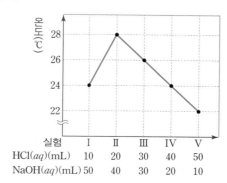

| 실험 | I | II | III | IV | V |
|---|---|---|---|---|---|
| HCl($aq$)(mL) | 10 | 20 | 30 | 40 | 50 |
| NaOH($aq$)(mL) | 50 | 40 | 30 | 20 | 10 |

이에 대한 설명으로 옳은 것만을 〈보기〉에서 있는 대로 고른 것은?

> ┤ 보기 ├
> ㄱ. II에서 혼합 용액에는 $OH^-$이 존재하지 않는다.
> ㄴ. 염산과 수산화 나트륨 수용액의 농도는 같다.
> ㄷ. IV에서 혼합 용액은 산성이다.

① ㄱ　　　② ㄴ　　　③ ㄱ, ㄷ
④ ㄴ, ㄷ　　　⑤ ㄱ, ㄴ, ㄷ

**해결 Point** II에서 완전히 중화된다.

**신유형** | 2020년 3월 학평 3번 유사 |

**07** 다음은 적갈색의 $NO_2(g)$로부터 무색의 $N_2O_4(g)$가 생성되는 반응의 화학 반응식과 이와 관련된 실험이다.

> • 화학 반응식: $2NO_2(g) \rightleftarrows N_2O_4(g)$
>
> [실험 과정 및 결과]
> 플라스크에 $NO_2(g)$를 넣고 마개로 막아 놓았더니 시간이 지남에 따라 기체의 색이 점점 옅어졌고, $t$초 이후에는 색이 변하지 않고 일정해졌다.

이에 대한 설명으로 옳은 것만을 〈보기〉에서 있는 대로 고른 것은? (단, 온도는 일정하다.)

> ┤ 보기 ├
> ㄱ. $t$초 이후에는 플라스크에 $N_2O_4(g)$만 존재한다.
> ㄴ. $t$초 이후는 동적 평형 상태이다.
> ㄷ. $t$초 이후에는 역반응이 일어나지 않는다.

① ㄱ ② ㄴ ③ ㄱ, ㄷ
④ ㄴ, ㄷ ⑤ ㄱ, ㄴ, ㄷ

**해결 Point** 반응 시작 후에는 정반응의 속도가 더 빠르므로 분자 수가 줄어든다.

**08** 다음은 순수한 물의 자동 이온화 반응 모형과 $25\ ^\circ C$에서 순수한 물의 이온화 상수($K_w$)를 나타낸 것이다.

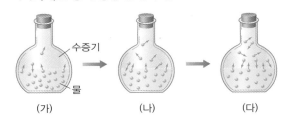

$$K_w = 1.0 \times 10^{-14}(25\ ^\circ C)$$

이에 대한 설명으로 옳은 것만을 〈보기〉에서 있는 대로 고른 것은?

> ┤ 보기 ├
> ㄱ. 동적 평형 상태에서 물 분자는 $OH^-$과 $H_3O^+$보다 매우 많다.
> ㄴ. 물이 자동 이온화되더라도 $[OH^-]=[H_3O^+]$이므로 중성이다.
> ㄷ. $[OH^-]=[H_3O^+]=1.0 \times 10^{-14}$이다.

① ㄱ ② ㄷ ③ ㄱ, ㄴ
④ ㄴ, ㄷ ⑤ ㄱ, ㄴ, ㄷ

**해결 Point** 물의 이온화 상수가 매우 작은 이유는 반응물의 양이 생성물보다 많기 때문이다.

**09** 그림은 일정한 온도에서 밀폐 용기 속에 물을 넣었을 때, 용기 속에서 일어나는 현상을 모형으로 나타낸 것이다. (다)는 동적 평형 상태이다.

수증기

물

(가) (나) (다)

이에 대한 설명으로 옳은 것만을 〈보기〉에서 있는 대로 고른 것은?

> ┤ 보기 ├
> ㄱ. 물의 증발 속도는 (가)와 (나)가 같다.
> ㄴ. (나)와 (다)에서의 응축 속도는 같다.
> ㄷ. (다)에서는 더 이상 증발이 일어나지 않는다.

① ㄱ ② ㄴ ③ ㄱ, ㄷ
④ ㄴ, ㄷ ⑤ ㄱ, ㄴ, ㄷ

**해결 Point** 동적 평형은 정반응과 역반응의 속도가 같은 지점이다.

**10** 그림은 우리 주변에서 볼 수 있는 4가지 물질의 pH를 나타낸 것이다.

4가지 물질에 대한 설명으로 옳은 것만을 〈보기〉에서 있는 대로 고른 것은?

---- 보기 ----
ㄱ. $[H_3O^+]$는 레몬이 가장 크다.
ㄴ. pOH는 비누가 가장 크다.
ㄷ. 우유는 염기성이다.

① ㄱ      ② ㄱ, ㄴ      ③ ㄱ, ㄷ
④ ㄴ, ㄷ      ⑤ ㄱ, ㄴ, ㄷ

**해결 Point** 비누는 pH가 가장 크고, pOH는 가장 작다.

**11** 25 °C에서 수산화 나트륨(NaOH) 0.4 g을 물에 녹여 수용액 1 L를 만들었다.
이 수용액의 pH와 pOH로 옳은 것은? (단, NaOH의 화학식량은 40이다.)

|   | pH | pOH |
|---|----|-----|
| ① | 2  | 12  |
| ② | 3  | 11  |
| ③ | 11 | 2   |
| ④ | 11 | 3   |
| ⑤ | 12 | 2   |

**해결 Point** $pH = -\log[H^+]$이고, $pOH = -\log[OH^-]$이다.

**12** 표는 25 °C에서 수용액 (가)와 (나)에 들어 있는 $H_3O^+$과 $OH^-$의 몰 농도에 대한 자료이다.

| 수용액 | $[H_3O^+]$(M) | $[OH^-]$(M) |
|--------|---------------|-------------|
| (가) | $1 \times 10^{-4}$ | ㉠ |
| (나) | | $1 \times 10^{-5}$ |

25 °C에서 이에 대한 설명으로 옳은 것만을 〈보기〉에서 있는 대로 고른 것은? (단, 25 °C에서 물의 이온화 상수($K_w$)는 $1 \times 10^{-14}$이다.)

---- 보기 ----
ㄱ. ㉠은 $1 \times 10^{-10}$이다.
ㄴ. (나)는 염기성이다.
ㄷ. pH는 (가) > (나)이다.

① ㄱ      ② ㄴ      ③ ㄱ, ㄴ
④ ㄴ, ㄷ      ⑤ ㄱ, ㄴ, ㄷ

**해결 Point** 25 °C에서 (가)의 pH가 4이면 pOH는 10이다.

**13** 다음은 3가지 산 염기 반응의 화학 반응식이다.

(가) $H_2CO_3 + H_2O \rightleftharpoons H_3O^+ + HCO_3^-$
(나) $HCO_3^- + H_2O \rightleftharpoons CO_3^{2-} + H_3O^+$
(다) $HCN + H_2O \rightleftharpoons H_3O^+ + CN^-$

이에 대한 설명으로 옳은 것만을 〈보기〉에서 있는 대로 고른 것은?

---- 보기 ----
ㄱ. (가)에서 $H_2O$은 염기로 작용한다.
ㄴ. (나)에서 $HCO_3^-$은 염기로 작용한다.
ㄷ. (다)에서 HCN는 산으로 작용한다.

① ㄱ      ② ㄴ      ③ ㄱ, ㄷ
④ ㄴ, ㄷ      ⑤ ㄱ, ㄴ, ㄷ

**해결 Point** 양성자를 잃는 물질이 브뢴스테드·로리 산이다.

**14** 신유형 | 2021년 6월 모평 14번 유사 |

그림 (가)~(다)는 물($H_2O(l)$), 수산화 나트륨 수용액($NaOH(aq)$), 염산($HCl(aq)$)을 각각 나타낸 것이다.

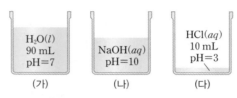

이에 대한 설명으로 옳은 것만을 〈보기〉에서 있는 대로 고른 것은? (단, 물과 용액의 온도는 25 °C로 일정하며, 25 °C에서 물의 이온화 상수($K_w$)는 $1 \times 10^{-14}$이다.)

┌─ 보기 ─────────────────────────┐
ㄱ. (가)에서 $[H_3O^+] = [OH^-]$이다.
ㄴ. (나)에서 $[OH^-] = 1 \times 10^{-4}$ M이다.
ㄷ. (다)에서 $[H_3O^+] = 10^{-3}$ M이다.
└────────────────────────────────┘

① ㄱ      ② ㄴ      ③ ㄱ, ㄴ
④ ㄴ, ㄷ      ⑤ ㄱ, ㄴ, ㄷ

**해결 Point** (가)는 중성, (나)는 염기성, (다)는 산성이다.

**15** 다음은 몇 가지 화학 반응식이다.

┌────────────────────────────────┐
(가) $NaOH(s) \xrightarrow{H_2O} Na^+(aq) + OH^-(aq)$

(나) $NH_3(g) + H_2O(l) \longrightarrow NH_4^+(aq) + OH^-(aq)$

(다) $HCl(g) + H_2O(l) \longrightarrow$
$\qquad\qquad\qquad H_3O^+(aq) + Cl^-(aq)$
└────────────────────────────────┘

이에 대한 설명으로 옳은 것만을 〈보기〉에서 있는 대로 고른 것은?

┌─ 보기 ─────────────────────────┐
ㄱ. $NaOH$은 아레니우스 염기이다.
ㄴ. (나)에서 $NH_3$는 브뢴스테드·로리 염기이다.
ㄷ. (다)에서 $H_2O$은 브뢴스테드·로리 염기이다.
└────────────────────────────────┘

① ㄱ      ② ㄴ      ③ ㄱ, ㄴ
④ ㄴ, ㄷ      ⑤ ㄱ, ㄴ, ㄷ

**해결 Point** 아레니우스 염기는 수용액에서 $OH^-$을 내놓는다.

**16** 그림은 묽은 염산($HCl$) 50 mL에 같은 농도의 수산화 나트륨($NaOH$) 수용액을 조금씩 가해 줄 때, 혼합 용액 속에 존재하는 이온 (가)의 수를 나타낸 것이다.

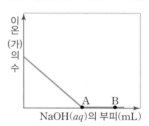

이에 대한 설명으로 옳은 것만을 〈보기〉에서 있는 대로 고른 것은? (단, 온도는 25 °C로 일정하다.)

┌─ 보기 ─────────────────────────┐
ㄱ. (가)는 $H^+$이다.
ㄴ. A와 B에서 생성된 물 분자 수는 같다.
ㄷ. B에서 pH=7이다.
└────────────────────────────────┘

① ㄱ      ② ㄷ      ③ ㄱ, ㄴ
④ ㄴ, ㄷ      ⑤ ㄱ, ㄴ, ㄷ

**해결 Point** (가)의 수는 A까지 점점 줄어들다 0이 되므로 (가)는 중화 반응으로 없어진 수소 이온이다.

**17** 다음은 2가지 화학 반응식을 나타낸 것이다.

> (가) $HCl(aq) + KOH(aq) \longrightarrow$
> $\boxed{A} + KCl(aq)$
> (나) $H_2SO_4(aq) + Ba(OH)_2(aq) \longrightarrow$
> $2\boxed{B} + BaSO_4(s)$

이에 대한 설명으로 옳은 것만을 〈보기〉에서 있는 대로 고른 것은?

┌─ 보기 ─
ㄱ. A와 B의 화학식은 같다.
ㄴ. (가)와 (나)에서 구경꾼 이온의 종류는 같다.
ㄷ. (나)에서 $H_2SO_4(aq)$ 1몰이 충분한 양의 $Ba(OH)_2(aq)$과 반응하면 B 1몰이 생성된다.
└─

① ㄱ      ② ㄴ      ③ ㄱ, ㄷ
④ ㄴ, ㄷ      ⑤ ㄱ, ㄴ, ㄷ

**해결 Point** (가)와 (나)의 알짜 이온 반응은 중화 반응으로 서로 같다.

**18** 그림은 일정량의 물에 설탕을 넣었을 때 일어나는 변화를 모형으로 나타낸 것이다. (다)는 동적 평형 상태이다.

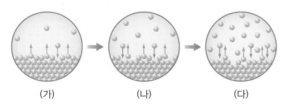

(가)          (나)          (다)

이에 대한 설명으로 옳은 것만을 〈보기〉에서 있는 대로 고른 것은?

┌─ 보기 ─
ㄱ. (가)에서 용해와 석출이 가역적으로 일어난다.
ㄴ. (나)에서 설탕물의 농도는 일정하다.
ㄷ. (다)에서 용해되는 설탕은 없다.
└─

① ㄱ      ② ㄷ      ③ ㄱ, ㄴ
④ ㄴ, ㄷ      ⑤ ㄱ, ㄴ, ㄷ

**해결 Point** (나)에서 용해되는 설탕이 석출되는 설탕보다 많다.

| 2021년 9월 모평 14번 유사 |

**19** 표는 25 ℃에서 3가지 수용액 (가)~(다)에 대한 자료이다.

| 수용액 | (가) | (나) | (다) |
|---|---|---|---|
| $[H_3O^+] : [OH^-]$ | $1 : 10^2$ | $1 : 1$ | $10^2 : 1$ |

이에 대한 설명으로 옳은 것만을 〈보기〉에서 있는 대로 고른 것은? (단, 온도는 25 ℃로 일정하고, 25 ℃에서 물의 이온화 상수($K_w$)는 $1 \times 10^{-14}$이다.)

┌─ 보기 ─
ㄱ. (가)의 pH는 8이다.
ㄴ. (나)는 중성이다.
ㄷ. (다)의 pOH는 8이다.
└─

① ㄱ      ② ㄴ      ③ ㄱ, ㄷ
④ ㄴ, ㄷ      ⑤ ㄱ, ㄴ, ㄷ

**해결 Point** 농도 비를 통해 액성을 알 수 있다.

신유형 | 2020년 7월 학평 3번 유사 |

**20** 다음은 산 염기 반응의 화학 반응식과 이에 대한 학생들의 대화이다.

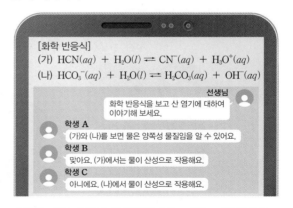

[화학 반응식]
(가) $HCN(aq) + H_2O(l) \rightleftharpoons CN^-(aq) + H_3O^+(aq)$
(나) $HCO_3^-(aq) + H_2O(l) \rightleftharpoons H_2CO_3(aq) + OH^-(aq)$

선생님
화학 반응식을 보고 산 염기에 대하여 이야기해 보세요.

학생 A
(가)와 (나)를 보면 물은 양쪽성 물질임을 알 수 있어요.

학생 B
맞아요. (가)에서는 물이 산성으로 작용해요.

학생 C
아니에요. (나)에서 물이 산성으로 작용해요.

제시한 내용이 옳은 학생만을 있는 대로 고른 것은?

① A      ② B      ③ A, C
④ B, C      ⑤ A, B, C

**해결 Point** 물은 (가)에서는 염기, (나)에서는 산이다.

# 07 산화 환원 반응, 화학 반응과 열 출입

## 오늘 공부할 내용 미리보기

**개념 01** 산소의 이동에 의한 산화와 환원

**개념 02** 전자의 이동에 의한 산화와 환원

**개념 03 산화수**

**개념 04 화학 반응과 열**

### 산화와 환원

① 산소의 이동과 산화 환원
- 산화: 물질이 산소를 얻는 반응
- 환원: 물질이 산소를 잃는 반응

예 산화 구리(Ⅱ)와 탄소의 반응

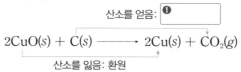

산소를 얻음: ❶ [      ]

$$2CuO(s) + C(s) \longrightarrow 2Cu(s) + CO_2(g)$$

산소를 잃음: 환원

② 전자의 이동과 산화 환원
- 산화: 물질이 전자를 잃는 반응
- 환원: 물질이 전자를 얻는 반응

예 나트륨과 염소의 반응

전자를 잃음: 산화

$$2Na(s) + Cl_2(g) \longrightarrow 2NaCl(2Na^+ + 2Cl^-)(s)$$

전자를 얻음: ❷ [      ]

③ 산화 환원 반응의 동시성: 산화 환원 반응에서 어떤 물질이 전자를 잃으면 다른 물질은 전자를 얻음. 즉, 산화와 환원은 항상 동시에 일어남.

**수능격파 TiP**
여러 가지 산화 환원의 정의를 알고, 산화 환원 반응은 동시에 일어나는 것을 이해한다.

| | 산화 | 환원 |
|---|---|---|
| 산소 | 얻음 | 잃음 |
| 전자 | 잃음 | 얻음 |
| 산화수 | 증가 | 감소 |

답 | ❶ 산화 ❷ 환원

---

**01** 기출 유형 | 2019년 수능 4번 유사 |

다음은 3가지 반응의 화학 반응식이다.

(가) $2C + O_2 \longrightarrow 2$ [ ㉠ ] $\longrightarrow CO$
(나) $Fe_2O_3 + 3$ [ ㉠ ] $\longrightarrow 2Fe + 3CO_2$
(다) $4Al + 3O_2 \longrightarrow 2Al_2O_3$

이에 대한 설명으로 옳은 것만을 〈보기〉에서 있는 대로 고른 것은?

┌ 보기 ┐
㉠. ㉠은 CO이다.
㉡. (나)에서 ㉠은 산화되었다. ―CO는 산소를 얻어 산화
㉢. (다)에서 알루미늄은 환원되었다. ― Al은 산소를 얻어 산화
└────┘

① ㄱ          ② ㄷ          ③ ㄱ, ㄴ
④ ㄴ, ㄷ          ⑤ ㄱ, ㄴ, ㄷ

**문제풀이 ✔TIP** 물질이 산소를 얻으면 산화된다.

**01** 기출 유사

다음은 금속과 관련된 2가지 반응의 화학 반응식이다.

(가) $2Mg + O_2 \longrightarrow 2MgO$
(나) $Fe_2O_3 + 3CO \longrightarrow 2Fe + 3CO_2$

이에 대한 설명으로 옳은 것만을 〈보기〉에서 있는 대로 고른 것은?

┌ 보기 ┐
ㄱ. (가)에서 Mg은 MgO으로 산화되었다.
ㄴ. (나)에서 CO는 $CO_2$로 환원되었다.
ㄷ. (나)에서 $Fe_2O_3$은 Fe로 산화되었다.
└────┘

① ㄱ          ② ㄴ          ③ ㄱ, ㄷ
④ ㄴ, ㄷ          ⑤ ㄱ, ㄴ, ㄷ

**● 산화수**

물질을 구성하는 원자가 어느 정도 산화되었는지를 나타내는 가상의 전하

- 홑원소 물질을 구성하는 원자의 산화수는 0
- 단원자 이온의 산화수는 그 이온의 전하와 같음.
- 다원자 이온을 구성하는 각 원자의 산화수 총합은 그 이온의 전하와 같음.
- 중성 화합물에서 각 원자의 산화수 총합은 **❶** [　　　　]
- 화합물에서 1족 금속 원자의 산화수는 $+1$, 2족 금속 원자는 $+2$, 13족 금속 원자는 $+3$
- 화합물에서 플루오린(F)의 산화수는 항상 $-1$
- 화합물에서 수소의 산화수는 $+1$ (단, 금속의 수소화물에서는 $-1$)
- 화합물에서 산소의 산화수는 $-2$ (단, $H_2O_2$에서는 $-1$, $OF_2$에서는 $+2$)

**● 산화제와 환원제**

| 산화제 | 환원제 |
|---|---|
| 자신은 환원되면서 다른 물질을 산화시키는 물질 | 자신은 산화되면서 다른 물질을 **❷** [　　　　]시키는 물질 |
| [산화제로 주로 작용하는 물질]<br>• 전자를 얻기 쉬운 비금속 원소 예 $F_2$, $Cl_2$<br>• 산화수가 큰 원자가 들어 있는 화합물<br>예 $\overset{+7}{K}\overset{+7}{Mn}O_4$, $\overset{+7}{H}\overset{+7}{Cl}O_4$, $\overset{+5}{H}\overset{+5}{N}O_3$ 등 | [환원제로 주로 작용하는 물질]<br>• 전자를 잃기 쉬운 금속 원소 예 Li, Na, K<br>• 산화수가 작은 원자가 들어 있는 화합물<br>예 $\overset{+2}{Sn}Cl_2$, $\overset{+2}{C}O$, $\overset{-2}{H_2}S$ |

답 | **❶** 0    **❷** 환원

다음은 망가니즈(Mn)가 포함된 몇 가지 화합물의 화학식을 나타낸 것이다.

$$\overset{+4}{Mn}O_2 \qquad \overset{+2}{Mn}Cl_2 \qquad \overset{+3}{Mn_2}O_3 \qquad \overset{+7}{K}\overset{+7}{Mn}O_4$$

이에 대한 설명으로 옳은 것만을 〈보기〉에서 있는 대로 고른 것은?

보기
ㄱ. $MnO_2$에서 Mn의 산화수는 ~~$+3$~~이다. $+4$
ㄴ. $Mn_2O_3$에서 Mn의 산화수는 $+3$이다.
ㄷ. Mn의 산화수는 $MnCl_2$에서와 $KMnO_4$에서가 ~~같다~~. $+2$     $+7$

① ㄱ     ② ㄴ     ③ ㄱ, ㄷ
④ ㄴ, ㄷ     ⑤ ㄱ, ㄴ, ㄷ

문제풀이 ✔TIP   Mn는 다양한 산화수를 가진다.

산화수에 대한 설명으로 옳지 않은 것은?

① $H_2O_2$에서 O의 산화수는 $-1$이다.
② 홑원소 물질에서 원자의 산화수는 0이다.
③ 원자가 전자를 잃으면 산화수가 감소한다.
④ 화합물을 구성하는 원자들의 산화수의 총합은 0이다.
⑤ 공유 결합에서는 전기 음성도가 큰 원자가 공유 전자쌍을 모두 가진다고 가정한다.

① 산화 환원 반응식의 완성: 산화 환원 반응에서 증가한 산화수＝감소한 산화수

**예** 철 이온($Fe^{2+}$)과 과망가니즈산 이온($MnO_4^-$)의 산화 환원 반응식 완성하기

[1단계] 반응에 관여한 원자의 산화수를 구하여 그 원자 위에 씀.

$$\overset{+2}{Fe^{2+}} + \overset{+7\ -2}{MnO_4^-} + \overset{+1}{H^+} \longrightarrow \overset{+3}{Fe^{3+}} + \overset{+2}{Mn^{2+}} + \overset{+1\ -2}{H_2O}$$

[2단계] 산화수가 증가하거나 감소한 원자의 산화수 변화를 계산

1 증가

$$\overset{+2}{Fe^{2+}} + \overset{+7\ -2}{MnO_4^-} + \overset{+1}{H^+} \longrightarrow \overset{+3}{Fe^{3+}} + \overset{+2}{Mn^{2+}} + \overset{+1\ -2}{H_2O}$$

❶ [    ] 감소

[3단계] 증가한 산화수와 감소한 산화수가 같도록 계수를 조정

$5 \times (+1)$

$$\square \overset{+2}{Fe^{2+}} + \square \overset{+7\ -2}{MnO_4^-} + \overset{+1}{H^+} \longrightarrow \square \overset{+3}{Fe^{3+}} + \square \overset{+2}{Mn^{2+}} + \overset{+1\ -2}{H_2O}$$

$1 \times (-5)$

[4단계] 반응 전후의 ❷ [    ] 수가 같아지도록 계수를 확인하여 조정

$$5Fe^{2+} + MnO_4^- + 8H^+ \longrightarrow 5Fe^{3+} + Mn^{2+} + 4H_2O$$

② 산화 환원 반응식의 계수를 통해 산화, 환원된 물질의 양적 관계를 알 수 있음.

답 | ❶ 5 ❷ 원자

**수능격파 TIP**
증가한 산화수와 감소한 산화수가 같음을 이용해 양적 관계를 해결한다.

---

**03** 기출 유형

| 2021년 9월 모평 15번 유사 |

다음은 아연($Zn$)과 염산($HCl$)의 산화 환원 반응을 화학 반응식으로 나타낸 것이다.

$$Zn(s) + 2HCl(aq) \longrightarrow ZnCl_2(aq) + H_2(g)$$

이 반응에 대한 설명으로 옳은 것만을 〈보기〉에서 있는 대로 고른 것은? (단, $Zn$의 원자량은 65이다.)

┌ 보기 ┐
ㄱ. $Zn$과 $HCl$의 반응 몰비는 1 : 2이다. ─ 반응 계수비＝반응 몰비
ㄴ. $Zn$은 환원제이다. ─ $Zn$은 산화
ㄷ. 1 M $HCl(aq)$ 200 mL와 $Zn(s)$ 6.5 g이 반응하면 $H_2(g)$ 0.1몰이 생성된다.
　　　　$HCl$ 0.2몰 　$Zn$ 0.1몰

① ㄱ　　　　　② ㄴ　　　　　③ ㄷ
④ ㄱ, ㄷ　　　⑤ ㄱ, ㄴ, ㄷ

**문제풀이 TIP** 1 M $HCl$ 200 mL는 0.2몰이다.

---

**03** 기출 유사

다음은 산화 환원 반응의 화학 반응식이다.

$$aFe^{2+} + bH_2O_2 + cH^+ \longrightarrow aFe^{3+} + dH_2O$$
$(a\sim d$는 반응 계수)

이 반응에 대한 설명으로 옳은 것만을 〈보기〉에서 있는 대로 고른 것은?

┌ 보기 ┐
ㄱ. $H$의 산화수는 변하지 않는다.
ㄴ. $a+b+c+d=7$이다.
ㄷ. $H_2O_2$는 산화제이다.

① ㄱ　　　　　② ㄴ　　　　　③ ㄷ
④ ㄱ, ㄷ　　　⑤ ㄱ, ㄴ, ㄷ

## 발열 반응과 흡열 반응

**수능격파 TIP** 🖎

발열 반응과 흡열 반응을 이해하고 화학 반응에서 열의 출입을 측정하는 실험을 분석할 수 있다.

① 발열 반응: 화학 반응이 일어날 때 열을 ❶ ☐☐☐ 하는 반응

- 생성물의 에너지 합이 반응물의 에너지 합보다 작으므로 반응이 일어날 때 열을 방출
- 반응물과 생성물의 에너지 차이만큼 열을 방출하므로 주위의 온도가 높아짐.
  **예** 연소, 금속과 산의 반응, 산과 염기의 중화 반응

② 흡열 반응: 화학 반응이 일어날 때 열을 ❷ ☐☐☐ 하는 반응

- 생성물의 에너지 합이 반응물의 에너지 합보다 크므로 반응이 일어날 때 열을 흡수
- 반응물과 생성물의 에너지 차이만큼 열을 흡수하므로 주위의 온도가 낮아짐.
  **예** 열분해, 광합성, 물의 전기 분해

▲ 발열 반응      ▲ 흡열 반응

③ 열량: 물질이 방출하거나 흡수하는 열에너지의 양

열량($Q$)= 비열($c$) × 질량($m$) × 온도 변화($\Delta t$) (단위: J 또는 kJ)

**답** | ❶ 방출  ❷ 흡수

---

**04** 기출 유형

| 2021년 수능 2번 유사 |

다음은 화학 반응에서 열의 출입에 대한 학생들의 대화이다

제시한 내용이 옳은 학생만을 있는 대로 고른 것은?

① A          ② C          ③ A, C
④ B, C        ⑤ A, B, C

**문제풀이** ✔ **TIP**  화학 반응의 열의 출입은 발열 반응과 흡열 반응으로 나뉘어진다.

**04** 기출 유사

다음은 3가지 반응이다.

(가) 뷰테인의 연소 반응
(나) 냉각 팩에서의 질산 암모늄의 용해 반응
(다) 묽은 황산과 수산화 나트륨 수용액의 중화 반응

(가)~(다) 중 발열 반응만을 있는 대로 고른 것은?

① (가)     ② (나)     ③ (다)
④ (가), (다)   ⑤ (나), (다)

# 기초력 집중드릴

**01** 다음은 산화 환원 반응식을 단계적으로 완성하는 과정을 나타낸 것이다.

> (가) 각 원자의 산화수 변화를 구한다.
>
> 산화수 $b$ 감소
>
> $\underline{Cu}(s) + H\underline{N}O_3(aq) \longrightarrow$
>
> $\underline{Cu}(NO_3)_2(aq) + \underline{N}O(g) + H_2O(l)$
>
> 산화수 $a$ 증가
>
> (나) 증가한 산화수와 감소한 산화수가 같도록 계수를 맞춘다.
>
> $3Cu(s) + 2HNO_3(aq) \longrightarrow$
>
> $3Cu(NO_3)_2(aq) + 2NO(g) + H_2O(l)$
>
> (다) 산화수 변화가 없는 원자들의 수가 같도록 계수를 맞춘다.
>
> $3Cu(s) + cHNO_3(aq) \longrightarrow$
>
> $3Cu(NO_3)_2(aq) + 2NO(g) + dH_2O(l)$
>
> (단, $c$, $d$는 반응 계수)

$a+b+c+d$는?

① 12 　　　② 14 　　　③ 15

④ 17 　　　⑤ 19

**해결 Point** Cu의 산화수는 2 증가하고, N의 산화수는 3 감소한다.

---

**02** 다음은 2가지 반응의 화학 반응식이다.

> • $C + O_2 \longrightarrow CO_2$
> • $CuO + H_2 \longrightarrow Cu + H_2O$

두 반응에서 환원되는 물질만을 있는 대로 고른 것은?

① C 　　　② C, $H_2$ 　　　③ C, CuO

④ $H_2$, $O_2$ 　　　⑤ $O_2$, CuO

**해결 Point** 환원은 산소를 잃거나 산화수가 감소하는 것이다.

---

**03** 다음은 고체 A~C를 각각 물에 녹일 때의 온도 변화를 알아보는 실험이다.

> [실험 과정]
>
> (가) 간이 열량계에 물 100 g을 넣은 후 물의 온도($t_1$)를 측정한다.
>
> (나) (가)의 열량계에 A 5 g을 넣어 녹인 후 수용액의 최종 온도($t_2$)를 측정한다.
>
>
>
> 젓개
>
> 간이 열량계
>
> (다) A 대신 B, C로 각각 과정 (가), (나)를 반복한다.
>
> [실험 결과]
>
> | 고체 | A | B | C |
> |---|---|---|---|
> | $t_1$(°C) | 25.0 | 25.0 | 25.0 |
> | $t_2$(°C) | 36.7 | 21.3 | 33.5 |

이에 대한 설명으로 옳은 것만을 〈보기〉에서 있는 대로 고른 것은? (단, 열량계와 주위 사이의 열 출입은 없다.)

> ┤ 보기 ├
>
> ㄱ. A가 물에 용해되는 반응은 발열 반응이다.
>
> ㄴ. B가 물에 용해되는 반응은 반응물의 에너지가 생성물의 에너지보다 높다.
>
> ㄷ. C가 물에 용해되는 반응은 반응물의 에너지가 생성물의 에너지보다 낮다.

① ㄱ 　　　② ㄴ 　　　③ ㄱ, ㄷ

④ ㄴ, ㄷ 　　　⑤ ㄱ, ㄴ, ㄷ

**해결 Point** 발열 반응은 반응 후 주위의 온도가 증가한다.

| 2020년 수능 8번 유사 |

**04** 다음은 산화 환원 반응 (가)~(다)의 화학 반응식이다.

> (가) $CuO + H_2 \longrightarrow Cu + H_2O$
> (나) $Fe_2O_3 + 3CO \longrightarrow 2Fe + 3CO_2$
> (다) $MnO_2 + 4HCl \longrightarrow MnCl_2 + 2H_2O + Cl_2$

이에 대한 설명으로 옳은 것만을 〈보기〉에서 있는 대로 고른 것은?

> ┤ 보기 ├
> ㄱ. (가)에서 CuO는 환원된다.
> ㄴ. (나)에서 CO는 환원된다.
> ㄷ. (다)에서 Mn의 산화수는 +4에서 −2로 감소한다.

① ㄱ      ② ㄴ      ③ ㄱ, ㄷ
④ ㄴ, ㄷ      ⑤ ㄱ, ㄴ, ㄷ

**해결 Point** Mn의 산화수는 +4에서 +2로 감소한다.

---

신유형 | 2019년 3월 학평 5번 유사 |

**05** 다음은 항공기 동체와 제트 엔진, 인공 관절의 제조에 쓰이는 금속 타이타늄(Ti)의 제련 과정에서 일어나는 반응의 화학 반응식이다.

> (가) $TiO_2 + 2Cl_2 + C \longrightarrow TiCl_4 + CO_2$
> (나) $TiCl_4 + 2Mg \longrightarrow Ti + 2MgCl_2$

이에 대한 설명으로 옳은 것만을 〈보기〉에서 있는 대로 고른 것은?

> ┤ 보기 ├
> ㄱ. $TiCl_4$에서 Ti의 산화수는 +4이다.
> ㄴ. (가)에서 Ti의 산화수는 변하지 않았다.
> ㄷ. (나)에서 Mg의 산화수는 0에서 −2로 감소하였다.

① ㄱ      ② ㄷ      ③ ㄱ, ㄴ
④ ㄴ, ㄷ      ⑤ ㄱ, ㄴ, ㄷ

**해결 Point** (가)에서 C는 산화, $Cl_2$는 환원된다.

---

**06** 그림은 1, 2주기 원소 X~Z로 이루어진 분자 (가)와 (나)의 구조식을 나타낸 것이다. (가)에서 X의 산화수는 −2이다.

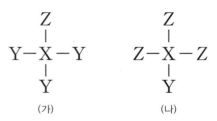

(나)에서 X의 산화수는? (단, X~Z는 임의의 원소 기호이다.)

① −3      ② −1      ③ 0
④ +2      ⑤ +3

**해결 Point** X의 산화수가 (가)에서 −2인 것으로 보아 전기 음성도는 Z > X > Y임을 알 수 있다.

---

| 2021년 6월 모평 11번 유사 |

**07** 다음은 산화 환원 반응 (가)~(다)의 화학 반응식이다.

> (가) $Fe_2O_3 + 2Al \longrightarrow 2Fe + Al_2O_3$
> (나) $Mg + 2HCl \longrightarrow MgCl_2 + H_2$
> (다) $Cu + aNO_3^- + bH_3O^+ \longrightarrow$
> $\qquad\qquad\qquad Cu^{2+} + cNO_2 + dH_2O$
> $\qquad\qquad\qquad$ ($a$~$d$는 반응 계수)

이에 대한 설명으로 옳은 것만을 〈보기〉에서 있는 대로 고른 것은?

> ┤ 보기 ├
> ㄱ. (가)에서 Al은 산화된다.
> ㄴ. (나)에서 Mg은 환원제이다.
> ㄷ. (다)에서 $a+b=c+d$이다.

① ㄱ      ② ㄴ      ③ ㄷ
④ ㄱ, ㄴ      ⑤ ㄴ, ㄷ

**해결 Point** $a=2, b=4, c=2, d=6$이다.

**신유형**

**08** 그림과 같이 무색의 질산 은($AgNO_3$) 수용액에 구리 (Cu) 선을 넣으면 구리 선의 표면에 은(Ag)이 석출되며 용액은 엷은 푸른색으로 변한다.

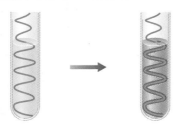

이에 대한 설명으로 옳은 것만을 〈보기〉에서 있는 대로 고른 것은?

┌─ 보기 ┐
ㄱ. 은 1몰이 석출되는 데 필요한 구리의 최소 양은 0.5몰이다.
ㄴ. 질산 은($AgNO_3$)은 산화제이다.
ㄷ. 구리(Cu)는 전자를 잃고 은 이온($Ag^+$)은 전자를 얻는다.
└──────┘

① ㄱ          ② ㄴ          ③ ㄱ, ㄷ
④ ㄴ, ㄷ      ⑤ ㄱ, ㄴ, ㄷ

**해결 Point** Cu가 1몰 반응할 때 $Ag^+$은 2몰 반응한다.

| 2016년 9월 모평 16번 유사 |

**09** 다음은 다이크로뮴산 나트륨($Na_2Cr_2O_7$)과 탄소(C)가 반응하는 산화 환원 반응의 화학 반응식이다.

$$Na_2\underset{\bigcirc}{Cr_2}O_7 + 2\underset{\bigcirc}{C} \longrightarrow \underset{\bigcirc}{Cr_2}O_3 + Na_2\underset{\bigcirc}{C}O_3 + \underset{\textcircled{e}}{C}O$$

㉠~㉣의 산화수에 해당하지 <u>않는</u> 것은?

① +6          ② +4          ③ +2
④ 0           ⑤ -2

**해결 Point** Cr은 다양한 산화수를 가질 수 있다.

**10** 그림은 에탄올($C_2H_6O$)의 구조식을 나타낸 것이다. 에탄올의 구성 원소 중 전기 음성도는 수소(H)가 가장 작다.

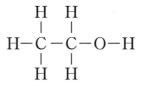

에탄올에서 C 원자의 산화수 합은?

① -4          ② -2          ③ -1
④ 0           ⑤ +2

**해결 Point** 전기 음성도가 큰 원자가 전자쌍을 다 가져간 것으로 간주한다.

**11** 다음은 염소($Cl_2$)와 관련된 3가지 화학 반응식이다.

┌──────────────────────────────┐
(가) $2Na + Cl_2 \longrightarrow 2NaCl$
(나) $Cl_2 + H_2O \longrightarrow HCl + HClO$
(다) $2NaBr + Cl_2 \longrightarrow 2NaCl + Br_2$
└──────────────────────────────┘

이에 대한 설명으로 옳은 것만을 〈보기〉에서 있는 대로 고른 것은?

┌─ 보기 ┐
ㄱ. (가)에서 Na은 환원된다.
ㄴ. HClO에서 Cl의 산화수는 +1이다.
ㄷ. (다)에서 $Cl_2$는 환원제이다.
└──────┘

① ㄱ          ② ㄴ          ③ ㄱ, ㄷ
④ ㄴ, ㄷ      ⑤ ㄱ, ㄴ, ㄷ

**해결 Point** Na의 산화수는 0에서 +1로 증가한다.

**12** 다음은 인류 문명의 발전에 기여한 몇 가지 산화 환원 반응이다. (가)~(다)는 산화 또는 환원이다.

> - 뷰테인($C_4H_{10}$)의 연소 반응에서 뷰테인은 [ (가) ] 된다.
> - 철광석의 산화 철($Fe_2O_3$)을 [ (나) ] 시켜 철 (Fe)을 얻는다.
> - 질소($N_2$)를 [ (다) ] 시켜 암모니아($NH_3$)를 합성한다.

이에 대한 설명으로 옳은 것만을 〈보기〉에서 있는 대로 고른 것은?

> ┤ 보기 ├
> ㄱ. (가)는 산화이다.
> ㄴ. (나)는 환원이다.
> ㄷ. (다)는 산화이다.

① ㄱ  　　② ㄱ, ㄴ  　　③ ㄱ, ㄷ

④ ㄴ, ㄷ  　　⑤ ㄱ, ㄴ, ㄷ

**해결 Point** 산화 철은 산소를 잃어 환원된다.

**13** 다음은 2가지 산화 환원 반응의 화학 반응식이다.

> (가) $CH_4 + NH_3 \longrightarrow HCN + 3H_2$
> (나) $C_2H_4 + H_2 \longrightarrow C_2H_6$

이에 대한 설명으로 옳은 것만을 〈보기〉에서 있는 대로 고른 것은?

> ┤ 보기 ├
> ㄱ. $CH_4$에서 C의 산화수는 $-4$이다.
> ㄴ. (가)에서 N의 산화수는 감소한다.
> ㄷ. (나)에서 $C_2H_4$은 $C_2H_6$으로 산화된다.

① ㄱ  　　② ㄴ  　　③ ㄱ, ㄷ

④ ㄴ, ㄷ  　　⑤ ㄱ, ㄴ, ㄷ

**해결 Point** HCN에서 H $+1$, C $+2$, N $-3$이다.

**14** 신유형 다음은 산화 철(Ⅲ)($Fe_2O_3$)과 관련된 실험이다.

> [실험 과정 및 결과]
> 　용기에 $Fe_2O_3$ 가루와 알루미늄(Al) 가루를 넣고 불을 붙여 반응시킨 후, 생성된 물질에 자석을 가까이하였더니 [ ㉠ ] 이/가 끌려왔다.
> 　$Fe_2O_3 + 2Al \longrightarrow 2$ [ ㉠ ] $+ Al_2O_3$

이에 대한 설명으로 옳은 것만을 〈보기〉에서 있는 대로 고른 것은?

> ┤ 보기 ├
> ㄱ. ㉠은 Fe이다.
> ㄴ. $Fe_2O_3$은 산화제이다.
> ㄷ. Al의 산화수는 감소한다.

① ㄱ  　　② ㄴ  　　③ ㄱ, ㄴ

④ ㄴ, ㄷ  　　⑤ ㄱ, ㄴ, ㄷ

**해결 Point** 환원되는 물질은 다른 물질을 산화시키는 산화제이다.

신유형

**15** 다음은 화학 반응에 대한 세 학생의 대화이다.

탄산 칼슘($CaCO_3$)에 염산을 떨어뜨리면 이산화 탄소가 생겨.

욕실에 둔 머리핀에 붉은 녹이 생겼어.

은수저에도 녹이 생겨. 검은 녹인데 성분이 황화 은($Ag_2S$)이래.

학생 A   학생 B   학생 C

이에 대한 설명으로 옳은 것만을 〈보기〉에서 있는 대로 고른 것은?

┌─ 보기 ┐
ㄱ. 학생 A가 말한 반응은 산화 환원 반응이다.
ㄴ. 학생 B가 말한 반응에서 물질 사이에 전자가 이동한다.
ㄷ. 학생 C가 말한 반응에서 은이 산화된다.
└───────┘

① ㄱ          ② ㄴ          ③ ㄱ, ㄴ
④ ㄱ, ㄷ       ⑤ ㄴ, ㄷ

해결 Point   산화수의 변화가 없으면 산화 환원 반응이 아니다.

신유형

**16** 다음은 실생활에서 일어나는 3가지 현상이다.

• ㉠ 철 가루와 산소가 반응하여 손난로가 뜨거워진다.
• ㉡ 가스가 연소하여 국이 끓는다.
• ㉢ 물이 증발하여 시원해진다.

㉠~㉢ 중 흡열 반응만을 있는 대로 고른 것은?

① ㉠          ② ㉢          ③ ㉠, ㉡
④ ㉠, ㉢       ⑤ ㉡, ㉢

해결 Point   연소는 대표적인 발열 반응이다.

**17** 그림은 아연($Zn$)과 황산 구리($CuSO_4$) 수용액의 반응을 모형으로 나타낸 것이다.

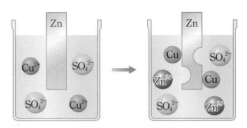

이에 대한 설명으로 옳은 것만을 〈보기〉에서 있는 대로 고른 것은?

┌─ 보기 ┐
ㄱ. 반응이 진행될수록 수용액의 푸른색이 옅어진다.
ㄴ. $Zn$은 환원제로 작용한다.
ㄷ. $Zn$이 잃은 전자 수와 $Cu^{2+}$이 얻은 전자 수는 같다.
└───────┘

① ㄱ          ② ㄷ          ③ ㄱ, ㄴ
④ ㄴ, ㄷ       ⑤ ㄱ, ㄴ, ㄷ

해결 Point   구리가 구리 이온이 되면 푸른색으로 변한다.

신유형 | 2016년 6월 모평 8번 유사 |

## 18 다음은 은(Ag) 반지와 관련된 반응에 대한 설명이다.

(가) Ag이 황화 수소($H_2S$)와 반응하여 황화 은($Ag_2S$)이 된다.

(나) 탄산 칼슘($CaCO_3$)으로 덮인 은 반지를 염산(HCl)에 넣으면 $CaCO_3$이 반응하여 염화 칼슘($CaCl_2$), 이산화 탄소($CO_2$), 물($H_2O$)이 생성된다.

(다) 알루미늄(Al)을 이용하여 $Ag_2S$을 은 반지로 복원시킨다.

**(가)~(다) 중 산화 환원 반응만을 있는 대로 고른 것은?**

① (가)  ② (나)  ③ (가), (다)

④ (나), (다)  ⑤ (가), (나), (다)

해결 / Point  산화 환원 반응이려면 산소 또는 전자의 이동이 있거나 산화수의 변화가 있어야 한다.

## 19 다음은 아황산($H_2SO_3$)과 아이오딘($I_2$)의 반응을 산화 환원 반응식으로 나타낸 것이다.

$$H_2SO_3(aq) + I_2(s) + H_2O(l) \longrightarrow$$
$$H_2SO_4(aq) + 2I^-(aq) + \boxed{(가)}$$

**이에 대한 설명으로 옳은 것만을 〈보기〉에서 있는 대로 고른 것은?**

보기

ㄱ. (가)는 $2H^+$이다.

ㄴ. $I_2$은 산화제로 작용한다.

ㄷ. $H_2SO_3$과 $I_2$은 1 : 1의 몰비로 반응한다.

① ㄱ  ② ㄷ  ③ ㄱ, ㄴ

④ ㄴ, ㄷ  ⑤ ㄱ, ㄴ, ㄷ

해결 / Point  화학 반응식의 계수를 통해 반응 몰비를 알 수 있다.

| 2014년 6월 모평 18번 유사 |

## 20 다음은 이산화 황($SO_2$)과 관련된 반응의 화학 반응식이다.

(가) $SO_2(g) + 2H_2S(g) \longrightarrow 2H_2O(l) + 3S(s)$

(나) $SO_2(g) + \dfrac{1}{2}O_2(g) \longrightarrow SO_3(g)$

**이에 대한 설명으로 옳은 것만을 〈보기〉에서 있는 대로 고른 것은?**

보기

ㄱ. (가)에서 $H_2S$는 산화된다.

ㄴ. $SO_2$은 (가)에서 환원제이고, (나)에서 산화제이다.

ㄷ. (가)와 (나)에서 S의 산화수가 가장 큰 것은 6이다.

① ㄱ  ② ㄷ  ③ ㄱ, ㄴ

④ ㄱ, ㄷ  ⑤ ㄴ, ㄷ

해결 / Point  $SO_2$은 (가)에서 환원되고 (나)에서 산화된다.

**memo**

1등급의 길로 안내하는 친절한 기본서

# 셀파 과학 시리즈

## 친절한 개념 정리

교과서 내용을 이해하기 쉽게 정리해
한눈에 들어오는 짜임새 있는 구성
친절한 첨삭을 통해 자기주도학습 가능!

## 시험 완벽 대비

세미나 코너를 통해
시험에 잘~ 나오는 핵심 개념과
주요 문제를 집중 분석해 풀이비법 제시!

## 풍부한 학습량

다양한 시각 자료와 풍부한 기출,
단계별 서술형 문제 대비 코너 등
고등학교 과학은 셀파로 마스터!

과학의 셀프 파트너, 셀파! 고1~3(통합과학/물리학I/화학I/생명과학I/지구과학I)

# 내신 기초,
# 7일이면 끝! ☺

## ✦중등

**국어:** 중2~3 (학기별, 박영목/노미숙)
**수학:** 중1~3 (학기별)
**영어:** 영문법1~3 (내신 기반 다지기)

**사회:** 중1~3 (사회 ①, ②/역사 ①, ②)
**과학:** 중1~3 (학기별)

## ✦고등

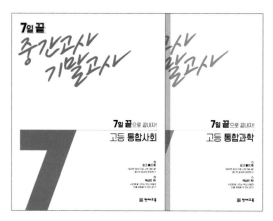

**국어:** 고1~3 / 저자별 총 6권(고등국어[상], [하], 문학, 독서, 화법과 작문, 언어와 매체)
**수학:** 고1~2 / 총 4권(수학(상), 수학(하), 수학Ⅰ, 수학Ⅱ)
**영어:** 어법·구문 / 총 2권(내신 기반 다지기)

**사회:** 고1~3 / 총 5권(통합사회, 한국사, 사회·문화, 한국 지리, 생활과 윤리)
　　　　※한국사: 고1~2/2022년부터 고3 동일 적용
**과학:** 고1~3 / 총 5권(통합과학, 물리학Ⅰ, 화학Ⅰ, 생명과학Ⅰ, 지구과학Ⅰ)

수능 *Final*

기초 *COURSE*

10일 격파

# 정답과 풀이

**일차**

# 화학의 첫걸음

● **기출 유형**　　　　　　　　본문 6~9쪽

**01** ⑤　　**02** ④　　**03** ④　　**04** ②

## 01 화학과 우리 생활

ㄱ. 철로 만든 농기구는 농업 생산량 증대에 기여하였다.

ㄴ. 암모니아 합성은 질소 비료의 생산량을 증가시켜 식량 부족 문제를 개선하는 데 기여하였다.

ㄷ. 석유는 화석 연료로 교통 발달에 영향을 주었을 뿐만 아니라 합성 섬유, 플라스틱 등으로 인류에 도움이 되었다.

## 02 여러 가지 탄소 화합물

ㄴ. 아세트산은 식초의 성분으로 신맛이 나는 산성 물질이다.

ㄷ. 두 물질 모두 한 분자에 포함된 탄소가 2개씩이다.

**오개념 바로 알기** ㄱ. 에탄올은 한 분자에 산소 1개를, 아세트산은 한 분자에 산소 2개를 포함하고 있다.

## 03 화학식량과 몰

ㄴ. 아보가드로 법칙에 따라 온도와 압력이 같을 때 같은 부피에서 기체의 양(mol)이 같으므로 분자량은 $Z_2 > XY_2$이다.

ㄷ. (나)에서 $Z_2$는 0.5몰이므로 원자 수는 1몰이고 $N_A$이다.

**오개념 바로 알기** ㄱ. 같은 양(mol)일 때 질량은 $Z_2$가 $XY_2$보다 크므로, Z는 X보다 원자량이 크다.

## 04 화학 반응식과 양적 관계

ㄴ. $a=1$, $b=1$이다.

**오개념 바로 알기** ㄱ. 계수를 맞추어 보면 ㉠은 $2H_2O$이다.

ㄷ. 반응 전과 후의 물질의 질량은 같다.

● **기출 / 유사**　　　　　　　본문 6~9쪽

**01** ⑤　　**02** ③　　**03** ①　　**04** ④

## 01 화학과 우리 생활

**문제 풀이 TiP** 화학이 실생활 문제 해결에 기여한 사례를 기억한다.

**｜문제 분석｜**

① 유리는 건축 재료로 주거 문제 해결에 기여하였다.

② 나일론은 합성 섬유로 의류 문제 해결에 기여하였다.

③ 시멘트는 건축 재료로 주거 문제 해결에 기여하였다.

④ 아스피린(아세틸살리실산)은 해열 진통제로 의약품이 화학의 실생활 문제에 기여한 예이다.

⑤ 질소 비료는 식량 문제 해결에 기여하였다.

## 02 여러 가지 탄소 화합물

**문제 풀이 TiP** 탄소 화합물은 분자 내 탄소(C)가 포함되어 있어야 한다.

**｜문제 분석｜**

산화 칼슘, 염화 칼륨은 이온 결합 물질이고 암모니아와 물은 탄소가 포함되어 있지 않으므로 탄소 화합물이 아니다.

## 03 화학식량과 몰

**문제 풀이 TiP** 수소 원자의 전체 질량이 같다는 것은 수소 원자의 양(mol)이 같다는 것이다.

(가) $H_2$의 양이 $N_A$개이면 분자 1몰이므로 H 원자는 2몰이 있다.

(나) $NH_3$에도 H 원자는 같은 2몰이 있어야 하므로 $NH_3$는 $\frac{2}{3}$몰이고 기체의 양은 $V$ L이다.

**｜보기 분석｜**

ㄱ. (다)에도 H 원자는 같은 2몰이 있어야 하므로 $CH_4$은 0.5몰이 있다. 따라서 $x=8$이다.

ㄴ. $\frac{2}{3}$몰의 부피가 $V$ L이므로 $H_2$ 1몰이면 $\frac{3}{2}V$ L이다.

ㄷ. (다)에 들어 있는 전체 원자 수는 $\frac{5}{2}N_A$이다.

**문제 속 자료 분석**　**원자량과 몰**

| 기체 | (가) | (나) | (다) |
|---|---|---|---|
| 분자식 | $H_2$ | $NH_3$ | $CH_4$ |
| 기체의 양 | $N_A$개 | $V$ L | $x$ g |

• (가)~(다)에서 수소 원자의 전체 질량은 같으므로 들어 있는 수소 원자의 양(mol)이 같다.

• $N_A$(아보가드로수)는 물질 1몰에 들어 있는 입자 수이다.

- (가)의 양이 $N_A$개이므로 (가)는 1몰이고, (가)에 들어 있는 수소 분자의 양은 1몰이므로 수소 원자의 양은 2몰이다.
- (나)에 들어 있는 수소 원자의 양도 2몰이므로 (나)는 $\frac{2}{3}$몰이다. 기체 $\frac{2}{3}$몰의 부피가 $V$ L이므로 1몰의 부피는 $\frac{3}{2}V$ L이다.
- (다)에 들어 있는 수소 원자의 양도 2몰이므로 (다)는 0.5몰이다. $CH_4$의 분자량은 16이므로 (다)의 질량은 $16 \times 0.5 = 8$ g이다.
- (다)는 0.5몰이므로 전체 원자 수는 $0.5 \times 5 = 2.5N_A$이다.

**04 화학 반응식과 양적 관계**

문제 풀이 TiP 화학 반응식에서 몰비＝계수비이다. 메테인의 분자량이 16이므로, 메테인 8 g은 0.5몰이다.

┃보기 분석┃

ㄱ. 이산화 탄소의 분자량을 몰라도 이산화 탄소의 부피를 구할 수 있다.

ㄴ. 메테인의 분자량을 알아야 메테인의 양(mol)을 구할 수 있고 이산화 탄소의 부피를 구할 수 있다.

ㄷ. 실험 온도와 압력에서 기체 1몰의 부피를 알면 양(mol)을 부피로 바꿀 수 있다.

문제 속 자료 분석   화학 반응의 양적 관계

$$CH_4(g) + 2O_2(g) \longrightarrow CO_2(g) + 2H_2O(l)$$

- 화학 반응식에서 계수비는 반응 몰비와 같다.
- $CH_4$과 $CO_2$의 계수비는 1 : 1이므로 반응 몰비는 1 : 1이다.
- $CH_4$의 분자량은 16이므로 $CH_4$ 8 g은 0.5몰이다.
- 생성되는 $CO_2$의 양은 0.5몰이므로 실험 온도와 압력에서 기체 1몰의 부피를 곱하면 생성되는 $CO_2$의 부피를 구할 수 있다.

**01** 인류의 문명 발달에 관련된 물질 중 자동차와 항공기의 연료나 산업의 에너지원으로 사용되는 것은 석유이다. 플라스틱, 합성 고무, 합성 섬유의 원료로 사용되는 것도 석유이다.

**02** X는 농기구와 철근 콘크리트에 이용되는 철, Y는 질소 비료의 원료인 암모니아, Z는 캐러더스가 만든 최초의 합성 섬유로 스타킹을 만드는 나일론이다.

**03** ㄱ. (가)의 메테인($CH_4$)은 천연 가스의 주성분으로 연료로 사용된다.

ㄴ. (나)의 에탄올($C_2H_5OH$)은 손 소독제를 만드는 데 사용된다.

오개념 바로 알기   ㄷ. (다)는 아세트산($CH_3COOH$)으로 수용액은 산성이다.

**04** 금속 X는 농기구와 바퀴, 선로 등에 이용되면서 농업 생산량과 교통 발달을 가져온 철(Fe)이다. 철은 철광석을 제련하여 얻는다.

오개념 바로 알기   ② 비료를 만들 때 사용하는 것은 철이 아니라 암모니아($NH_3$)이다.

**05** (가)는 아세톤, (나)는 아세트산, (다)는 폼알데하이드, (라)는 에탄올이다.

ㄷ. 물에 녹아 산성을 나타내는 물질은 (나) 1가지이다.

오개념 바로 알기   ㄱ. (가)는 아세톤으로 매니큐어를 지우는 데 사용된다.

ㄴ. 새집 증후군을 일으키는 물질은 (다)이다.

**06** 밀도＝$\frac{질량}{부피}$이므로, 0 ℃, 1기압에서 22.4 L/mol이므로, 분자량을 구하면 $1.25$ g/L $\times 22.4$ L/mol $= 28$ g/mol이다. 따라서 이 기체의 분자량은 28이다.

**07** 반응 전과 후에 없어지거나 생기는 원자는 없으므로, 화학 반응식의 계수는 다음과 같다.

$$3NO_2 + H_2O \longrightarrow 2HNO_3 + NO$$

$a=3$, $b=1$, $c=1$이다.

**08** $CO_2$ 4.4 g 속에 탄소(C)의 질량은 $4.4 \times \dfrac{12}{44} = 1.2$ g이고, $H_2O$ 3.6 g 속에 수소(H)의 질량은 $3.6 \times \dfrac{2}{18} = 0.4$ g이다. 따라서 $C_xH_y$ 속 C와 H의 몰비는 $C : H = \dfrac{1.2}{12} : \dfrac{0.4}{1} = 1 : 4$이므로 $C_xH_y$의 분자식은 $CH_4$이다.

**09** 포도당 1몰에 포함된 분자의 양 $a=1$몰이다. 아세트산 1몰에 포함된 H 원자의 양 $b=4$몰이다. 염화 칼슘($CaCl_2$) 1몰에 포함된 이온의 양 $c=3$몰이다. 따라서 $b>c>a$이다.

**10** 부피비, 몰, 질량을 통해 문제에서 요구하는 것을 해결한다.

ㄷ. 0 ℃, 1기압에서 기체 1몰의 부피는 22.4 L이므로 5.6 L는 0.25몰이다. 따라서 $X_2$ 1몰의 질량은 $8.0 \times 4 = 32$ g이고 X의 원자량은 16이다.

오개념 바로 알기 ㄱ. 기체 $X_2$의 분자 수는 $1.5 \times 10^{23}$개이다.

ㄴ. X 원자의 양은 0.5몰이다.

**11** (가)의 부피가 2 L이고, (나)의 부피가 5 L이다. 같은 온도와 압력에서 기체의 부피는 양(mol)에 비례하므로 기체의 부피비는 (가) : (나) = 2 : 5이다. 따라서 화학 반응식은 $2A \longrightarrow 4B + C$이고 $b=4$이다.

**12** 반응 몰비가 계수비인 것을 활용해 화학 반응식을 만든다.

문제 속 자료 분석 **화학 반응식 만들기**

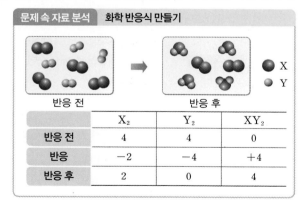

| | $X_2$ | $Y_2$ | $XY_2$ |
|---|---|---|---|
| 반응 전 | 4 | 4 | 0 |
| 반응 | $-2$ | $-4$ | $+4$ |
| 반응 후 | 2 | 0 | 4 |

오개념 바로 알기 ㄱ. 화학 반응식의 계수비는 $X_2 : Y_2 : XY_2 = 1 : 2 : 2$이다.

**13** 화학 반응식의 계수를 확인한다.

화학 반응식에서는 원자의 종류가 반응물과 생성물에서 변하지 않고, 원자의 개수가 반응물과 생성물에서 같아야 한다.

**14** 일정한 온도와 압력에서 같은 부피 속에는 같은 양(mol)의 분자가 들어 있다.

오개념 바로 알기 ㄱ. 분자량은 $X_2$가 $Y_2$의 16배이다.

문제 속 자료 분석 **화학식량과 몰**

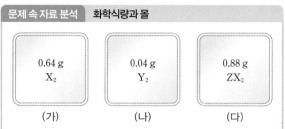

| 0.64 g | 0.04 g | 0.88 g |
| $X_2$ | $Y_2$ | $ZX_2$ |
| (가) | (나) | (다) |

• (가)와 (나)는 같은 부피이기 때문에 양(mol)이 같으므로 (가)와 (나)의 질량비는 분자량비와 같다. 따라서 (가)와 (나)의 분자량비는 $X_2 : Y_2 = 64 : 4 = 16 : 1$이고, 원자량비는 $X : Y = 16 : 1$이다.

• 질량비는 $X_2 : ZX_2 = 64 : 88$이므로 원자량비는 $X : Z = 32 : 24 = 4 : 3$이다.

**15** 분자의 양(mol)을 질량, 아보가드로수로 바꿀 수 있어야 한다.

오개념 바로 알기 ㄱ. 분자의 양은 (가) 0.5몰, (나) 2몰, (다) 0.5몰이다.

**16** 같은 온도와 압력에서 부피는 양(mol)에 비례한다. 반응 전 전체 기체의 양이 1.5몰이고, 반응 후 1몰이 되었으므로 반응 전과 후의 부피비는 3:2이고, 실린더에 들어 있는 전체 분자 수도 줄어든다.

**17** 화학 반응을 살펴보면 다음과 같다.

$$X + Y \longrightarrow 2Z$$

| | X | Y | Z |
|---|---|---|---|
| 반응 전 | ㉠ | 50 | 0 |
| 반응 | $-50$ | $-50$ | $+100$ |
| 반응 후 | 50 | ㉡ | 100 |

반응 전 기체 X는 ㉠ 100, 반응 후 기체 Y는 ㉡ 0이다. 반응 후 기체 Y 50 mL를 더 넣으면 반응물이 모두 소모된다.

**18** ㉠과 ㉡에서 C의 질량이 같으므로, ㉠에서 A는 B $w$ g과 모두 반응하고, C만 존재한다. 이때 생성된 C의 부

피는 24 L이므로 1몰이다. ㉠에서 ㉡으로 갈 때 부피가 12 L 증가한 것은 순수하게 B만의 부피이므로 B $w$ g은 $\frac{12 \text{ L}}{24 \text{ L/몰}} = 0.5$몰이다. 반응 전 A는 0.5몰(12 L)이고, B $w$ g(0.5몰)과 반응하여 C 1몰을 생성하므로 화학 반응식은 $A + B \longrightarrow 2C$이다. 따라서 $b=1$, $c=2$이다.

**19** 표에서 반응 전 부피와 반응 후 전체 부피를 통해 반응물이 모두 소모된 것을 알 수 있다.

| 반응 전 부피(L) | | 반응 후 전체 부피(L) |
|---|---|---|
| AB | B₂ | (C의 부피 + 남은 기체의 부피) |
| 4 | 2 | 4 |

따라서 A는 4개, B는 8개이므로 C는 $AB_2$이다.

**20** ㄴ. (나)에서 양적 관계는 다음과 같다.

$$X_2 + 3Y_2 \longrightarrow 2XY_3$$

| | | | |
|---|---|---|---|
| 반응 전(몰) | 1 | 4 | |
| 반응(몰) | −1 | −3 | +2 |
| 반응 후(몰) | 0 | 1 | 2 |

따라서 반응 후에는 Y₂ 1몰이 남아 있다.
ㄷ. 전체 기체의 양은 (가)에서 5몰, (나)에서 3몰이다.
**오개념 바로 알기** ㄱ. 화학 반응식의 계수를 구하면 다음과 같다.

$$X_2 + 3Y_2 \longrightarrow 2XY_3$$

따라서 $a+b=2c$이다.

---

### ● 기출 유형     본문 18~21쪽

| 01 ⑤ | 02 ① | 03 ③ | 04 ⑤ |
|---|---|---|---|

**01 몰 농도**
ㄱ. (가)의 포도당의 양은 0.05몰, (나)의 포도당의 양은 0.04몰이다.
ㄴ. 포도당의 분자량이 180이므로, (나)에 들어 있는 포도당의 질량은 $0.04 \times 180 = 7.2$ g이다.
ㄷ. (가)에서는 100 mL당 포도당 0.01몰, (나)에서는 100 mL당 포도당 0.02몰이 들어 있으므로 (가)보다 (나)가 더 크다.

**02 원자의 구성 입자**
ㄱ. (가)는 중성자이다.
**오개념 바로 알기** ㄴ. A와 B는 전자 수가 다르므로 양성자 수가 다르다.
ㄷ. B는 He이다.

**03 보어 원자 모형**
ㄱ. A에서는 에너지(빛)가 방출된다.
ㄷ. $b$와 $c$의 에너지를 합하면 $a$와 같다.
**오개념 바로 알기** ㄴ. C에서 방출하는 빛의 에너지가 가장 작으므로 파장은 가장 길다.

**04 오비탈과 양자수**
(가)는 $2s$ 오비탈로 부(방위) 양자수가 0이고, (나)는 $3p_x$ 오비탈로 $x$방향의 방향성을 가진다. (가)는 $s$ 오비탈이므로 전자가 최대 2개 채워질 수 있다.
**오개념 바로 알기** ⑤ 원자핵으로부터의 거리가 같을 때 전자의 발견 확률이 같은 것은 $s$ 오비탈이다.

### ● 기출 유사     본문 18~21쪽

| 01 ③ | 02 ⑤ | 03 ② | 04 ③ |
|---|---|---|---|

**01 몰 농도**
**문제 풀이 Tip** 포도당의 양은 (가)에서 0.05몰, (나)에서 0.04몰, (다)에서 0.04몰이다.

**│보기 분석│**

용질의 양(mol)＝몰 농도(M)×용액의 부피(L)이다.

ㄱ. (가)에 녹아 있는 포도당의 양은 $0.1 \times 0.5 = 0.05$몰이다.

ㄴ. (나)에 녹아 있는 포도당 0.04몰의 질량은 $0.04 \times 180 = 7.2$ g이다.

ㄷ. (다)에 녹아 있는 포도당 0.04몰의 질량은 $0.04 \times 180 = 7.2$ g이다.

**02 원자의 구성 입자**

문제 풀이 TiP  양성자, 중성자, 전자의 수를 구한 후 문제를 해결한다. (가)는 전자, (나)는 중성자, (다)는 양성자이다.

**│보기 분석│**

ㄱ. $a = 32$이다.

ㄴ. (다)는 양성자이다.

ㄷ. 산소는 이온이므로 전자 수는 10이다.

| 문제 속 자료 분석 | 원자의 구성 입자 | | |
|---|---|---|---|
| | 양성자수 | 전자 수 | 중성자수 |
| $^{23}_{11}\text{Na}$ | 11 | 11 | 12 |
| $^{18}_{8}\text{O}^{2-}$ | 8 | 10 | 10 |
| $^{a}_{16}\text{X}^{2-}$ | 16 | 18 | $a-16$ |

- 원자는 양성자수＝전자 수이고, 이온은 양성자와 전자 수가 같지 않다.
- 음이온은 전자 수＞양성자수이다.
- 질량수＝양성자수＋중성자수이다.
- $^{23}_{11}\text{Na}$에서 (가)와 (다)의 수가 같으므로 (가)와 (다)는 각각 양성자와 전자 중 하나이다. 따라서 (나)는 중성자이다.
- $^{18}_{8}\text{O}^{2-}$에서 (가)와 (나)의 수가 같으므로 (가)는 전자이다.
- $^{a}_{16}\text{X}^{2-}$에서 (나)와 (다)의 수가 같으므로 질량수 $a$는 $16+16 = 32$이다.

**03 보어 원자 모형**

문제 풀이 TiP  $d$와 $e$에서 출입하는 에너지의 크기는 같다.

**│보기 분석│**

ㄱ. $a$와 $b$는 방출하는 에너지의 크기가 다르므로 방출되는 파장도 다르다.

ㄴ. 에너지를 흡수하는 것은 $e$ 1가지이다.

ㄷ. $d$와 $e$에서 출입하는 에너지의 크기는 같다. $d$는 에너

지를 방출, $e$는 에너지를 흡수한다.

| 문제 속 자료 분석 | 수소 원자의 전자 전이 |
|---|---|

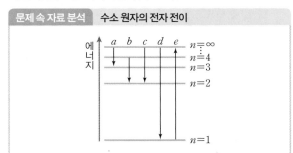

- $a, b, c, d$는 에너지를 방출한다.
- $e$는 에너지를 흡수한다.
- $d$와 $e$는 에너지의 크기가 같다.

**04 오비탈과 양자수**

문제 풀이 TiP  각 오비탈의 모양과 특징을 잘 알아둔다.

**│보기 분석│**

ㄱ. (가)는 $1s$ 오비탈로 방위(부) 양자수는 0이다.

ㄴ. 쌓음 원리에 따라 (다)의 $2p_x$, $2p_z$ 오비탈에 전자가 들어 있으므로 (나)의 $2s$ 오비탈에는 전자가 2개 들어 있다.

ㄷ. A는 다전자 원자이므로 에너지 준위는 (나) $2s$가 (다) $2p$보다 낮다.

| ● 기초력 집중드릴 | | | 본문 22~27쪽 | |
|---|---|---|---|---|
| **01** ⑤ | **02** ④ | **03** ③ | **04** ① | **05** ③ |
| **06** ③ | **07** ④ | **08** ⑤ | **09** ① | **10** ① |
| **11** ② | **12** ③ | **13** ④ | **14** ① | **15** ③ |
| **16** ⑤ | **17** ③ | **18** ① | **19** ② | **20** ② |

**01** 용액 1 L에 들어 있는 용질의 양(mol)은 몰 농도이다.

오개념 바로 알기  ㄱ. 수용액에 들어 있는 용질의 양(mol)은 (가)가 0.05몰, (나)가 0.05몰로 같다.

**02** 용액을 묽힐 때 묽히기 전후 용질의 양(mol)은 같다.

(가)에서 2 M NaOH($aq$) 300 mL의 몰 농도를 1.5 M으로 묽혔으므로 $2 \times 300 = 1.5 \times x$, $x = 400$이다.

(나)에서 2 M NaOH($aq$) 200 mL에 들어 있는 NaOH의 양(mol)과 NaOH($s$) $y$ g의 양(mol)의 합은 2.5 M NaOH($aq$) 400 mL 속 NaOH의 양(mol)과 같으므로

$2\,\mathrm{M} \times 0.2\,\mathrm{L} + \dfrac{y}{40}\,\mathrm{mol} = 2.5\,\mathrm{M} \times 0.4\,\mathrm{L}$, $y = 24$이다.

따라서 $\dfrac{x}{100} + y = 28$이다.

**03** 빛의 파장과 에너지는 반비례한다.

오개념 바로 알기 ㄴ. $\lambda_2$는 전자가 $n=3$에서 $n=1$로 전이할 때 방출하는 빛의 파장이다.

문제 속 자료 분석 **수소 원자의 선 스펙트럼**

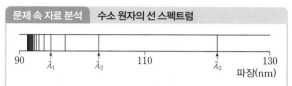

- $\lambda_1 \sim \lambda_3$ 중 $\lambda_1$은 가장 파장이 짧으므로 에너지가 가장 크고, $\lambda_3$은 파장이 가장 길므로 에너지가 가장 작다.
- $\lambda_1$은 주 양자수($n$) 5에서 1로, $\lambda_2$는 3에서 1로, $\lambda_3$은 2에서 1로 전자 전이할 때 방출하는 빛의 파장이다.
- 파장과 에너지는 반비례한다.

**04** ㄱ. 전자 a는 첫 번째 전자 껍질에 있으므로 $1s$ 오비탈에 있다.

오개념 바로 알기 ㄴ. 오비탈은 전자가 발견될 확률이다.
ㄷ. (나)의 오비탈의 에너지 준위는 $2s < 2p$이다.

**05** 질량비를 통해서 용기 속 각각 분자의 양을 확인한다.
(가)와 (나)는 온도, 압력, 부피가 같으므로 기체의 양(mol)이 서로 같다. (가)와 (나)에 들어 있는 기체의 양(mol)을 $x$, (나)에서 $^1\mathrm{H}_2^{16}\mathrm{O}$의 양(mol)을 $y$라고 하면 (나)에서 $^1\mathrm{H}_2^{18}\mathrm{O}$의 양(mol)은 $x-y$이다. 기체의 질량은 양(mol) × 분자량이므로 (가)와 (나)의 질량비는 $18x : 18y + 20(x-y) = 45 : 46$이다. 따라서 $y = 0.8x$이다. (나)에서 $^1\mathrm{H}_2^{16}\mathrm{O}$와 $^1\mathrm{H}_2^{18}\mathrm{O}$의 분자당 양성자수는 10으로 같고, 분자당 중성자수는 $^1\mathrm{H}_2^{16}\mathrm{O}$, $^1\mathrm{H}_2^{18}\mathrm{O}$에서 각각 8, 10이므로 (나)에 들어 있는 기체의 $\dfrac{전체\ 양성자수}{전체\ 중성자수} =$

$\dfrac{10x}{8 \times 0.8x + 10 \times 0.2x} = \dfrac{10x}{8.4x} = \dfrac{25}{21}$이다.

**06** (가)는 $1s$, (나)는 $2p_x$, (다)는 $2s$이다.
ㄱ. 주 양자수가 1인 오비탈은 $1s$이다.
ㄴ. $2s$와 $2p_x$는 수소 원자에서는 에너지 준위가 같다.
오개념 바로 알기 ㄷ. (다)는 $2s$이므로 방향성이 없다.

문제 속 자료 분석 **오비탈과 양자수**

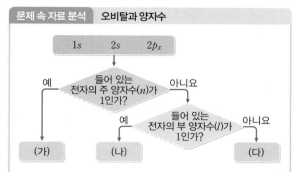

- $1s$ 오비탈의 주 양자수는 1, 부 양자수는 0이다.
- $2s$ 오비탈의 주 양자수는 2, 부 양자수는 0이다.
- $2p_x$ 오비탈의 주 양자수는 2, 부 양자수는 1이다.
- (가)는 $1s$, (나)는 $2p_x$, (다)는 $2s$이다.
- 수소 원자에서는 주 양자수가 같은 오비탈의 에너지 준위는 같다.
- $s$ 오비탈은 방향성이 없고, $p$ 오비탈은 방향성이 있다.

**07** 전자 배치의 규칙이나 원리에는 쌓음 원리, 파울리 배타 원리, 훈트 규칙이 있다.

오개념 바로 알기 A. (가)는 쌓음 원리를 만족하지 않은 들뜬상태이다.

문제 속 자료 분석 **전자 배치 규칙**

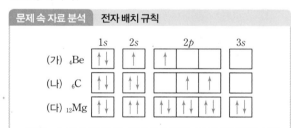

- (가)는 $2s$에 전자가 다 채워지지 않고 $2p$에 채워졌으므로 쌓음 원리를 만족하지 않는 들뜬상태이다.
- (나)는 쌓음 원리, 파울리 배타 원리, 훈트 규칙을 모두 만족하는 바닥상태이다.
- (다)는 $2s$의 전자 2개의 스핀 방향이 같아 파울리 배타 원리에 어긋난다.

**08** ⑤ 수소 원자의 선 스펙트럼을 설명하기 위해 나온 원자 모형이 보어 원자 모형이다.

오개념 바로 알기 ① 돌턴의 원자 모형으로, 단단하고 더이상 쪼갤 수 없는 구형의 모형이며, 전자의 존재를 설명할 수 없다.
② 톰슨의 원자 모형으로 ($+$)전하와 ($-$)전하가 표현되어 있지만 원자핵을 발견하기 이전 모형이며 ($+$)전하는

고르게 분포되어 있다.

③ 러더퍼드의 원자 모형으로, 원자핵을 발견한 $\alpha$ 입자 산란 실험 결과로 제시된 모형이다.

④ 중성자가 표현된 모형으로, 채드윅은 베릴륨에 $\alpha$ 입자를 충돌시킬 때 전하를 띠지 않는 입자가 방출되는 것을 발견하고, 이를 중성자라고 하였다.

**09** 경우의 수를 통해 (가)~(다)의 오비탈을 구한다.

| 구분 | $n$ | $l$ | $m_l$ | 오비탈 |
|---|---|---|---|---|
| (가) | 1 | 0 | 0 | $1s$ |
| (나) | 2 | 0 | 0 | $2s$ |
| (다) | 2 | 1 | 0 | $2p$ |

(가)는 $1s$, (나)는 $2s$, (다)는 $2p$ 오비탈이다.

ㄱ. 자기 양자수는 (가)와 (나) 모두 0이다.

**오개념** 바로 알기   ㄴ. 수소에서 에너지 준위는 $1s < 2s$이다.

ㄷ. (다)의 주 양자수는 2이다.

**10** 수소의 전자는 1개이므로, 주어진 그림은 쌓음 원리에 위배된 들뜬상태이다.

$1s$ 오비탈로 전자가 전이될 때는 $n=2 \rightarrow n=1$이므로 빛이 방출된다.

**오개념** 바로 알기   ㄴ. 바닥상태가 아니라 들뜬상태의 전자 배치이다.

ㄷ. $2p_z$ 오비탈에 전자가 있을 때와 $2p_x$에 전자가 있을 때의 에너지 준위는 같다.

**11** 질량수는 양성자수(원자 번호)와 중성자수의 합이다.

ㄷ. 중성자수＝질량수－양성자수이다. 따라서 중성자수는 Ar은 $40-18=22$, K은 $40-19=21$이므로 Ar이 더 크다.

**오개념** 바로 알기   ㄱ. 질량수는 Ar과 K이 같다.

ㄴ. 원자에서 양성자수＝전자 수이므로 전자 수는 Ar이 18이고, K은 19이다.

**12** ㄱ. (나)에 들어 있는 A의 양은 $0.2\,M \times 250\,mL = 0.05$몰이다.

ㄴ. $0.05 = x \times 0.1 + 0.04$이므로 $x=0.1$이다.

**오개념** 바로 알기   ㄷ. (가)에 들어 있는 A의 양은 0.01몰이므로 $100 \times 0.01 = 1$ g이다.

---

**문제 속 자료 분석**   **혼합 용액의 몰 농도**

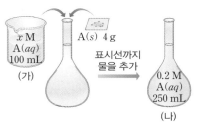

· 몰 농도는 용액 1 L 속에 녹아 있는 용질의 양(mol)으로 단위는 M 또는 mol/L를 사용한다.

$$\text{몰 농도(M)} = \frac{\text{용질의 양(mol)}}{\text{용액의 부피(L)}}$$

· 묽힌 용액의 몰 농도는 묽히기 전과 묽힌 후의 용질의 양(mol)이 같다는 것을 이용하여 구한다.

$$M_A V_A = M_B V_B$$

$$\binom{M_A,\, V_A : \text{묽히기 전 몰 농도와 부피}}{M_B,\, V_B : \text{묽힌 후 몰 농도와 부피}}$$

· (나)에서 0.2 M A($aq$) 250 mL에 들어 있는 A의 양은 $0.2 \times 0.25 = 0.05$몰이다.

· (가)에 들어 있는 A의 양(mol)과 (가)에 넣어 준 A($s$) 4 g의 양(mol)을 합하면 (나)에 들어 있는 A의 양인 0.05몰이 된다.

· 물질의 양(mol)＝$\dfrac{\text{물질의 질량(g)}}{\text{물질의 화학식량}}$이므로

$x \times 0.1 + \dfrac{4}{100} = 0.05$이고 $x=0.1$이다.

· (가)에 들어 있는 A의 질량은 A의 양(mol)×A의 화학식량이고, $x=0.1$이므로 A의 질량은 0.1 M × 0.1 L × 100 = 1 g이다.

---

**13** ㄱ. 같은 원소에서는 양성자수가 같다.

ㄴ. 분자 $X_2$의 존재 비율로 보아 X의 동위 원소는 $^a X : ^{a+2} X = 1 : 1$로 존재한다.

ㄷ. X의 평균 원자량은 $a \times \dfrac{1}{2} + (a+2) \times \dfrac{1}{2} = a+1$이다.

**14** X는 C의 들뜬상태, Y는 F의 들뜬상태, Z는 Mg의 바닥상태이다.

ㄱ. X(C)가 바닥상태일 때 홀전자 수는 2이다.

**오개념** 바로 알기   ㄴ. Y는 쌓음 원리를 만족하지 않는 들뜬상태이다.

ㄷ. Z는 2족 원소이다.

**15** 1 M A 수용액 50 mL 속 용질의 양(mol)은 0.05몰이고, 이때 입자 수는 6개이다. 0.25 M A 수용액 100 mL에 들

---

어 있는 용질의 양(mol)은 0.025몰이므로 부피는 2배로 증가하였지만 입자 수는 $\frac{1}{2}$배로 3개가 된다.

**16** 부피당 입자 수와 용액의 부피, 몰 농도를 연관지어 문제를 해결할 수 있다.

부피당 입자 수는 (가)~(다)가 모두 같다. 따라서 몰 농도(M)는 모두 같다.

**용액의 몰 농도**

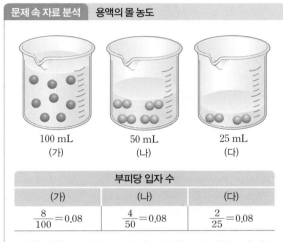

|  | 부피당 입자 수 |  |
|---|---|---|
| (가) | (나) | (다) |
| $\frac{8}{100}=0.08$ | $\frac{4}{50}=0.08$ | $\frac{2}{25}=0.08$ |

• (가)~(다)는 부피당 입자 수가 모두 같으므로 몰 농도(M)도 같다.

**17** ㄷ. (가) 200 mL 속 용질의 양(mol)은 0.1 M×0.2 L =0.02몰, (나)는 0.3 M×0.2 L=0.06몰이다. 따라서 (가)와 (나)를 200 mL씩 섞은 혼합 용액의 몰 농도는

$$\frac{0.02+0.06}{0.4}=0.2 \text{ M이다.}$$

ㄱ. (가)에서 HCl의 양은 0.1×0.5= 0.05몰이다.

ㄴ. (나)에서 용액 100 mL 속 HCl의 양은 0.3×0.1= 0.03몰이다.

**18** W의 전자 배치는 $1s^2 2s^2 2p^2$로 탄소(C)이고, X의 전자 배치는 $1s^2 2s^2 2p^5$로 플루오린(F), Y의 전자 배치는 $1s^2 2s^2 2p^4$로 산소(O), Z의 전자 배치는 $1s^2 2s^2 2p^6 3s^1$로 나트륨(Na)이다.

ㄱ. W(C)의 홀전자 수 $a$=2이다.

ㄴ. 원자 번호는 Z(Na)가 가장 크다.

ㄷ. Z는 3주기이므로 주 양자수가 가장 크다.

**19** 다전자 원자에서 오비탈의 에너지 준위는 $2p<3s$이다.

ㄷ. $C^-$은 쌓음 원리를 만족하지 않는 들뜬상태이다.

ㄱ. A의 홀전자 수는 2이다.

ㄴ. $B^+$은 들뜬상태이다.

**전자 배치 규칙**

• A는 쌓음 원리, 파울리 배타 원리, 훈트 규칙을 모두 만족하는 바닥상태이다.
• 에너지 준위가 $2p<3s$이고, $B^+$은 $2p_z$에 전자 1개, $3s$에 전자 1개가 있으므로 쌓음 원리를 위배한 들뜬상태이다.
• $C^-$은 $2p_y$에 전자 1개, $3s$에 전자 1개가 있으므로 쌓음 원리를 위배한 들뜬상태이다.
• A는 산소(O)이다.
• B는 나트륨(Na)이다.
• C는 플루오린(F)이다.

**20** ㄴ. (가)는 $3s$, (나)는 $2p_y$이다. 전자는 (나)에는 1개, (가)에는 2개 들어 있다.

ㄱ. (가)의 주 양자수는 3이고, (나)의 주 양자수는 2이다.

ㄷ. 부 양자수($l$)는 (가)는 0, (나)는 1이다.

# 03 <sup>일차</sup> 원소의 주기적 성질

## ● 기출 유형    본문 30~33쪽

| 01 ② | 02 ⑤ | 03 ③ | 04 ⑤ |
|---|---|---|---|

### 01 주기율표

A는 헬륨, B는 리튬, C는 탄소, D는 염소, E는 아르곤이다.

ㄴ. D와 E는 3주기 원소이다.

오개념 바로 알기 ㄱ. A는 화학적으로 안정한 비활성 기체이다.

ㄷ. B는 원자가 전자가 1개이다.

### 02 전자 배치와 주기율

(가)는 바닥상태, (나)는 바닥상태, (다)는 파울리 배타 원리에 위배되어 잘못된 배치, (라)는 들뜬상태이다.

파울리 배타 원리를 만족하려면 한 오비탈에 전자가 최대 2개이고, 두 전자의 스핀 방향이 달라야 한다. 산소의 원자가 전자 수는 6이다.

### 03 유효 핵전하와 원자 반지름

ㄱ. A는 O, B는 Al, C는 N, D는 Mg이다. 유효 핵전하가 가장 작은 C의 이온 반지름이 가장 크다.

ㄷ. 원자 번호는 B가 가장 크다.

오개념 바로 알기 ㄴ. 원자가 전자가 느끼는 유효 핵전하는 A > C이다.

### 04 이온화 에너지

V는 Mg, W는 Al, X는 F, Y는 Ne, Z는 Na이다.

제1 이온화 에너지는 같은 주기에서 18족이 가장 크다.

## ● 기출 / 유사    본문 30~33쪽

| 01 ② | 02 ④ | 03 ② | 04 ① |
|---|---|---|---|

### 01 주기율표

문제 풀이 TiP 주기율표에서 원소의 위치에 따른 성질을 알아야 한다. A는 H, B는 F, C는 Na, D는 Cl, E는 Ar이다.

---

보기 분석

ㄱ. A는 비금속, C는 금속이다.

ㄴ. B와 D는 주기가 다르므로 전자 껍질 수가 다르다.

ㄷ. 18족 원소는 원자가 전자 수가 0이다.

### 02 전자 배치와 주기율

문제 풀이 TiP $p$ 오비탈에 들어 있는 전자 수를 통해 원소를 예측할 수 있다. A는 질소(N), B는 플루오린(F), C는 알루미늄(Al)이다.

문제 분석

A: $1s^2 2s^2 2p^3$

B: $1s^2 2s^2 2p^5$

C: $1s^2 2s^2 2p^6 3s^2 3p^1$

A의 전자가 들어 있는 오비탈 수는 5, B의 전자가 들어 있는 오비탈 수는 5, C의 전자가 들어 있는 오비탈 수는 7이다.

### 03 유효 핵전하와 원자 반지름

문제 풀이 TiP 같은 족에서 유효 핵전하의 주기성을 알고 다른 경향과 연관 짓는다.

보기 분석

ㄱ. (가)는 3주기 원소이다.

ㄴ. 원자 반지름은 A가 C보다 크다.

ㄷ. 이온화 에너지는 B가 C보다 작다.

### 04 이온화 에너지

문제 풀이 TiP 전기 음성도와 이온화 에너지는 주기율표에서 주기성을 보인다.

보기 분석

X~Z는 홀전자 수가 같으므로 각각 1족, 13족, 17족 중 하나이다. 제1 이온화 에너지는 X가 가장 크므로 X는 플루오린(F), 제2 이온화 에너지는 Z가 가장 크므로 Z는 리튬(Li)이다. 따라서 Y는 붕소(B)이다.

ㄱ. 전기 음성도는 X > Y > Z이다.

ㄴ. Y는 홀전자 수가 1이다.

ㄷ. Z는 전자 1개를 잃고 He과 같은 전자 배치를 갖는다.

## ● 기초력 집중드릴

| | | | | |
|---|---|---|---|---|
| **01** ④ | **02** ⑤ | **03** ③ | **04** ② | **05** ② |
| **06** ② | **07** ② | **08** ① | **09** ③ | **10** ① |
| **11** ① | **12** ① | **13** ⑤ | **14** ⑤ | **15** ③ |
| **16** ③ | **17** ③ | **18** ② | **19** ① | **20** ③ |

**01** (가)는 되베라이너의 세 쌍 원소, (나)는 멘델레예프의 주기율표, (다)는 옥타브설, (라)는 모즐리의 현대 주기율표이다. 따라서 순서는 (가)−(다)−(나)−(라)이다.

**02** A는 질소, B는 나트륨이다. 원자가 전자가 A는 5개, B는 1개이다.

**오개념** 바로 알기 ⑤ A는 비금속, B는 금속이다.

**문제 속 자료 분석** 원소의 족과 주기

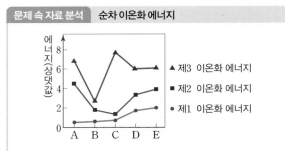

- A는 전자 껍질 수가 2, 원자가 전자 수가 5인 2주기 15족 원소 N이다.
- B는 전자 껍질 수가 3, 원자가 전자 수가 1인 3주기 1족 원소 Na이다.
- 전자가 들어 있는 오비탈 수는 A가 5, B가 6이다.
- A는 비금속, B는 금속이므로 A는 전자를 얻어 음이온이 되기 쉽고, B는 전자를 잃어 양이온이 되기 쉽다.

**03** ㄷ. 같은 족에서 원자 번호가 커질수록 제1 이온화 에너지가 작아진다.

**오개념** 바로 알기 ㄱ. 전자가 들어 있는 전자 껍질 수는 주기와 같다.

ㄴ. 이온화 에너지는 전자 1개를 떼어 내는 데 필요한 에너지이다.

**04** ㄷ. (가)는 B로 들뜬상태이다. (나)는 N로 들뜬상태이다. (다)는 Na으로 바닥상태이다.

**오개념** 바로 알기 ㄱ. 3주기 원소는 Na이다.

ㄴ. (나)는 15족, (다)는 1족이다.

**05** A는 나트륨(Na), B는 염소(Cl), C는 아르곤(Ar)이다.

ㄴ. B의 홀전자 수는 1이다.

**오개념** 바로 알기 ㄱ. A의 원자가 전자는 1개이다.

ㄷ. 전자가 채워진 오비탈의 수는 B와 C가 같다.

**06** C. 주기율표에서 세로줄은 족, 가로줄은 주기라고 한다.

**오개념** 바로 알기 A. 멘델레예프는 원소를 원자량 순서대로 배열하였다.

B. 현대 주기율표는 원소를 원자 번호 순서대로 배열하고 있다.

**07** 순차 이온화 에너지의 상댓값을 통해서 원소를 예측할 수 있다.

A는 나트륨(Na), B는 알루미늄(Al), C는 마그네슘(Mg), D는 플루오린(F), E는 네온(Ne)이다.

ㄴ. 홀전자 수가 1인 원소는 A, B, D이다.

**오개념** 바로 알기 ㄱ. 원자가 전자 수는 D가 7로 가장 크다.

ㄷ. C의 원자가 전자는 2개이다.

**문제 속 자료 분석** 순차 이온화 에너지

- A는 제2 이온화 에너지가 갑자기 증가하므로 1족인 Na이다.
- C는 제3 이온화 에너지가 갑자기 증가하므로 2족인 Mg이다.
- E는 제1 이온화 에너지가 가장 높으므로 Ne이다.
- A는 나트륨(Na), B는 알루미늄(Al), C는 마그네슘(Mg), D는 플루오린(F), E는 네온(Ne)이다.

**08** 순차 이온화 에너지가 급격히 증가하는 구간을 통해 원자가 전자 수를 알 수 있다. A는 원자가 전자 3개, B는 원자가 전자 2개이다.

ㄱ. A는 13족 원소이다.

**오개념** 바로 알기 ㄴ. $E_1$은 A>B이므로 A는 2주기, B는 3주기이다. 원자 번호는 3주기인 B가 A보다 크다.

ㄷ. B가 안정한 이온이 되려면 최소 738+1451=2189 kJ/mol이 필요하다.

**09** ㄱ. 방위 양자수는 ㉠이 0, ㉡과 ㉢은 1이다.

ㄷ. 그림은 바닥상태 전자 배치이다.

**오개념 바로 알기** ㄴ. 자기 양자수는 ㉠이 0, ㉡과 ㉢은 각각 −1, 0, 1 중 하나로 서로 다르다.

---

**개념 체크⁺** 양자수

① 주 양자수($n$): 오비탈의 크기와 에너지를 결정한다.
- $n$은 자연수 값만 가능하며 보어 원자 모형의 전자 껍질에 해당한다.
- $n$값이 클수록 오비탈의 크기가 크고 에너지 준위가 높다.

② 방위(부) 양자수($l$): 오비탈의 종류를 결정한다.
- $n$에 따라 가능한 방위 양자수가 달라지며, $l$은 0부터 $n-1$까지의 정수만 가능하다.

| 방위 양자수($l$) | 0 | 1 | 2 |
|---|---|---|---|
| 오비탈의 종류 | $s$ | $p$ | $d$ |

③ 자기 양자수($m_l$): 오비탈의 방향을 결정한다.
- $m_l$는 $-l$부터 $+l$까지의 정수만 가능하다.

예 $l=1$인 $p$ 오비탈의 자기 양자수($m_l$)는 $-1, 0, +1$의 3가지가 가능하며, 이는 $p$ 오비탈에 오비탈 방향이 다른 3개의 오비탈이 있음을 의미한다.

| 주 양자수($n$) | 방위 양자수($l$) | 자기 양자수($m_l$) | 오비탈의 종류 | 오비탈의 수($n^2$) | |
|---|---|---|---|---|---|
| 1 | 0 | 0 | $1s$ | 1 | 1 |
| 2 | 0 | 0 | $2s$ | 1 | 4 |
| | 1 | $-1, 0, +1$ | $2p$ | 3 | |
| 3 | 0 | 0 | $3s$ | 1 | 9 |
| | 1 | $-1, 0, +1$ | $3p$ | 3 | |
| | 2 | $-2, -1, 0, +1, +2$ | $3d$ | 5 | |

④ 스핀 자기 양자수($m_s$): 외부에서 자기장을 걸어주었을 때 전자의 자기 상태가 서로 반대 방향으로 나누어지는 것과 관련된다.
- 전자의 자전을 스핀이라고 하며, 2가지 스핀 방향이 가능하여 $m_s$는 $+\frac{1}{2}$, $-\frac{1}{2}$의 2가지가 가능하다.

---

**10** (가)는 B, (나)는 S, (다)는 Ar이다.

ㄱ. (나)와 (다)는 같은 주기이다.

**오개념 바로 알기** ㄴ. 홀전자 수는 (가)가 1, (나)는 2이다.

ㄷ. 원자가 전자 수는 (가)가 1, (나)가 6, (다)가 0이다.

**11** A. 이온 반지름은 $F^->Na^+$이다.

**오개념 바로 알기** B. $F^-$은 전자 하나를 얻으며 전자 사이의 반발력이 커져 F 원자보다 반지름이 커진다.

C. 유효 핵전하는 $Na^+>Na$이다.

**12** 순차 이온화 에너지를 보면 A는 1족, B는 2족, C는 13족 원소임을 알 수 있다.

ㄱ. 원자가 전자 수는 C가 3으로 가장 크다.

**오개념 바로 알기** ㄴ. $496<x<738$이다.

ㄷ. A가 안정해지기 위해서는 최소 496 kJ/mol이 필요하다.

---

**문제 속 자료 분석** 순차 이온화 에너지

| 원소 | 순차 이온화 에너지(kJ/mol) | | | |
|---|---|---|---|---|
| | $E_1$ | $E_2$ | $E_3$ | $E_4$ |
| A | 496 | 4562 | 6912 | 9544 |
| B | 738 | 1451 | 7733 | 10540 |
| C | $x$ | 1817 | 2745 | 11578 |

- A는 $E_1\ll E_2$이므로 3주기 1족인 Na이다.
- B는 $E_2\ll E_3$이므로 3주기 2족인 Mg이다.
- C는 $E_3\ll E_4$이므로 3주기 13족인 Al이다.
- 원자가 전자 수는 A는 1, B는 2, C는 3이다.
- 같은 주기에서 제1 이온화 에너지는 1족<13족<2족이므로 $496<x<738$이다.

---

**13** A는 리튬(Li), B는 탄소(C), C는 산소(O), D는 염소(Cl)이다.

ㄱ. A~C는 전자 껍질 수(주기)가 같다.

ㄴ. 이온화 에너지는 A(리튬)가 가장 작다.

ㄷ. B의 홀전자 수는 2개, C의 홀전자 수는 2개이므로 합은 4개이다.

**14** A는 칼륨(K), B는 인(P), C는 황(S), D는 칼슘(Ca)이다.

ㄱ. (가)로 전기 음성도는 적절하다.

ㄴ. 유효 핵전하는 원자 번호가 큰 D가 A보다 크다.

ㄷ. B와 C는 3주기 원소이다.

**15** 같은 전자 수를 가지는 이온이므로 X는 4주기 2족 Ca이고, Y는 3주기 16족 S이다.

ㄱ. 원자 번호는 X>Y이다.

ㄴ. 원자가 전자 수는 Y>X이다.

**오개념 바로 알기** ㄷ. 홀전자 수는 X는 0이고, Y는 2이다.

**16** 원자 반지름과 유효 핵전하의 경향을 통해 원소를 예측할 수 있다.

ㄷ. C는 P이다.

오개념 바로 알기 ㄱ. A는 2주기 원소이다.

ㄴ. B의 원자가 전자는 5개이다.

문제 속 자료 분석 | 원자 반지름과 유효 핵전하

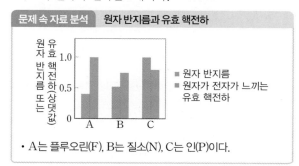

• A는 플루오린(F), B는 질소(N), C는 인(P)이다.

**17** 홀전자 수가 8이 되려면 홀전자 수가 3, 3, 2인 원소 3개여야 한다. 오비탈의 수를 셀 때는 $p$ 오비탈은 3개임을 기억한다. A는 $1s^2 2s^2 2p^6 3s^2 3p^4$인 황(S)이고, B는 $1s^2 2s^2 2p^6 3s^2 3p^3$인 인(P)이고, C는 $1s^2 2s^2 2p^3$인 질소(N)이다.

ㄱ. A는 16족이다.

ㄷ. 원자가 전자가 느끼는 유효 핵전하는 B>C이다.

오개념 바로 알기 ㄴ. B에서 $p$ 오비탈에 있는 전자 수는 9이다.

**18** A는 질소(N), B는 염소(Cl), C는 인(P)이다.

ㄴ. 전기 음성도가 가장 작은 것은 C이다.

오개념 바로 알기 ㄱ. A는 2주기, B와 C는 3주기 원소이다.

ㄷ. 원자 반지름이 가장 큰 것은 C이다.

**19** X는 플루오린(F), Y는 마그네슘(Mg), Z는 규소(Si)이다.

ㄱ. 전자 껍질 수는 Y는 3, X는 2이다.

오개념 바로 알기 ㄴ. 원자가 전자는 Y는 2개, Z는 4개이다.

ㄷ. 홀전자 수는 X는 1, Z는 2이다.

**20** X는 탄소(C), Y는 질소(N)이다. Y의 바닥상태 전자 배치는 $1s^2 2s^2 2p^3$이다.

---

# 화학 결합

● 기출 유형      본문 42~45쪽

**01** ③      **02** ⑤      **03** ③      **04** ⑤

**01** 이온 결합

(가) 불꽃 반응색을 보기 위해서는 토치를 이용하여 불꽃 반응을 시켜 보아야 한다. ➡ ㄴ

(나) 충격을 가하면 쉽게 부서지는 것은 망치로 확인할 수 있다. ➡ ㄱ

(다) NaCl을 수용액 상태에서 전원 장치를 연결하면 전류가 흐르는지 확인할 수 있다. ➡ ㄷ

**02** 공유 결합

끓는점이 25 ℃보다 낮으면 상온에서 기체로 존재한다. 끓는점이 높으면 분자 사이의 인력이 강하다. 상온에서 수소와 메테인은 기체, 물은 액체로 존재한다.

**03** 금속 결합

ㄱ. (가)는 금속 결정이다.

ㄷ. 결정에 힘을 주면 (가)는 늘어나고 (나)는 깨진다.

오개념 바로 알기 ㄴ. (나)는 고체 상태의 이온 결합 물질이므로 전류가 흐르지 않는다.

**04** 화학 결합의 종류

ㄱ. 철은 금속 결정이므로 금속 양이온과 자유 전자로 구성되어 있다.

ㄴ. 이온 결합 물질은 액체 상태에서 전기 전도성이 있다.

ㄷ. 흑연은 원자 결정으로 흑연을 구성하는 원자는 공유 결합을 하고 있다.

● 기출 / 유사      본문 42~45쪽

**01** ⑤      **02** ③      **03** ⑤      **04** ⑤

**01** 이온 결합

문제 풀이 TiP 이온 결합 물질은 고체에서는 전류가 흐르지 않지만 액체와 수용액에서는 전류가 흐른다.

**┃문제 분석┃**

소금은 이온 결합 물질이고 설탕은 공유 결합 물질이다. 소금과 설탕은 고체일 때 모두 전류가 흐르지 않지만 소금은 액체와 수용액일 때 전류가 흐른다. 소금의 불꽃 반응색은 노란색이다.

## 02 공유 결합

(문제 풀이 TiP) 구성 원자를 보어 원자 모형으로 확인하고, 화합물 X와 Y가 무엇인지 알 수 있다.

**┃보기 분석┃**

ㄱ. A는 Li, B는 O, C는 H이다.

ㄴ. X는 $Li_2O$으로 이온 결합 물질이다.

ㄷ. Y는 $H_2O$로 공유 결합 물질이다.

| 문제 속 자료 분석 | 공유 결합과 이온 결합 |

| 화합물 | 구성 원자 수 | | |
|---|---|---|---|
| | A | B | C |
| X | 2 | 1 | 0 |
| Y | 0 | 1 | 2 |

- A는 Li이고, B는 O, C는 H이다.
- $A^+$은 $Li^+$이고, $BC^-$은 $OH^-$이다. 화합물 ABC는 LiOH이다.
- X는 $Li_2O$이고, Y는 $H_2O$이다.

## 03 금속 결합

(문제 풀이 TiP) 전자 배치와 금속 결합 모형을 해석할 수 있다.

**┃보기 분석┃**

ㄱ. (가)는 나트륨의 원자가 전자이다.

ㄴ. Na은 금속 결정이므로 힘을 주어도 부서지지 않는다.

ㄷ. 원자가 전자는 전자 궤도에서 쉽게 떨어져 나와 (나)인 자유 전자가 된다.

## 04 화학 결합의 종류

(문제 풀이 TiP) 전기 전도성으로 결합의 종류를 알 수 있다. (가)는 설탕, (나)는 염화 칼슘, (다)는 구리이다.

**┃보기 분석┃**

ㄱ. (가)는 설탕이다.

ㄴ. (나)는 이온 결정이므로 힘을 가하면 부스러진다.

ㄷ. 금속 결정은 금속 양이온과 자유 전자로 구성된다.

---

| 문제 속 자료 분석 | 화학 결합 물질의 성질 |

| 물질 | 전기 전도성 | |
|---|---|---|
| | 고체 상태 | 액체 상태 |
| (가) | 없음 | 없음 |
| (나) | 없음 | 있음 |
| (다) | 있음 | 있음 |

- 구리는 금속 결합, 설탕은 공유 결합, 염화 칼슘은 이온 결합으로 이루어진 물질이다.
- (가)는 고체, 액체 모두 전기 전도성이 없으므로 공유 결합 물질이다. 따라서 (가)는 설탕이다.
- (나)는 고체에서는 전기 전도성이 없고, 액체에서는 전기 전도성이 있으므로 이온 결합 물질이다. 따라서 (나)는 염화 칼슘이다.
- (다)는 고체, 액체 모두 전기 전도성이 있으므로 금속 결합 물질이다. 따라서 (다)는 구리이다.
- 이온 결합 물질은 힘을 가하면 이온의 층이 밀리면서 두 층의 경계면에서 이온 사이의 반발력이 작용하여 쉽게 부스러진다.

---

**● 기초력 집중드릴**   본문 46~51쪽

| | | | | |
|---|---|---|---|---|
| 01 ⑤ | 02 ⑤ | 03 ① | 04 ① | 05 ③ |
| 06 ① | 07 ① | 08 ③ | 09 ④ | 10 ① |
| 11 ⑤ | 12 ⑤ | 13 ⑤ | 14 ⑤ | 15 ③ |
| 16 ① | 17 ⑤ | 18 ④ | 19 ⑤ | 20 ⑤ |

**01** 물 분자는 수소 원자 2개와 산소 원자 1개로 이루어진 공유 결합으로, 수소를 제외한 산소는 옥텟 규칙을 만족하고 수소는 헬륨의 전자 배치를 갖는다.

**02** 나트륨은 금속 결합으로 이루어진 금속 결정이고, 다이아몬드는 공유 결합으로 이루어진 원자 결정이다. ㉠은 자유 전자이고, 고체 상태에서 나트륨은 전류가 흐르고 다이아몬드는 전류가 흐르지 않는다.

**03** ㄱ. ㉠은 철, ㉡은 흑연이다.

(오개념 바로 알기) ㄴ. 흑연은 공유 결합 물질이지만 고체 상태에서 전류가 흐른다.

ㄷ. 다이아몬드는 고체 상태에서 전류가 흐르지 않기 때문에 적절하지 않다.

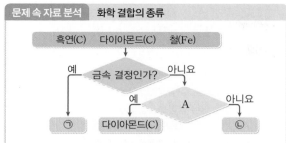

**문제 속 자료 분석** | **화학 결합의 종류**

흑연(C)  다이아몬드(C)  철(Fe)
↓
금속 결정인가?  예 / 아니요
예 → 다이아몬드(C)  A  아니요 → ㉡
㉠

- 흑연과 다이아몬드는 공유 결합으로 이루어진 원자(공유) 결정이다.
- 철은 금속 결합으로 이루어진 금속 결정이다.
- ㉠은 철, ㉡은 흑연이다.
- 흑연은 공유 결합으로 이루어졌지만 예외로 전기 전도성이 있다.
- 다이아몬드는 전기 전도성이 없다.

**04** A는 헬륨(He), B는 베릴륨(Be), C는 산소(O), D는 나트륨(Na)이다.
ㄱ. $O_2$는 공유 결합 물질이다.
**오개념 바로 알기** ㄴ. C와 D의 결합은 이온 결합이다.
ㄷ. A와 B는 결합을 형성하지 않는다.

**05** A는 질소(N), B는 마그네슘(Mg), C는 나트륨(Na), D는 아르곤(Ar)이다.
옥텟 규칙을 만족하기 위해 A는 전자 3개를 얻고, B는 전자 2개를 잃고, C는 전자 1개를 잃는다. D는 18족이므로 전자를 얻거나 잃지 않는다. 따라서 잃거나 얻어야 하는 전자 수의 합은 6이다.

**06** Ⅰ은 흑연, Ⅱ는 다이아몬드이다.
ㄴ. 화학식은 모두 C이다.
**오개념 바로 알기** ㄱ. 흑연과 다이아몬드는 공유 결정이다.
ㄷ. Ⅱ를 1몰 연소시키면 1몰의 $CO_2$가 생성된다.

**07** ㄱ. 이온 결합은 금속 양이온과 비금속 음이온의 결합이다.
**오개념 바로 알기** ㄴ. 비활성 기체는 다른 원소와 화학 결합을 형성하지 않는다.
ㄷ. 공유 결합은 비금속 원소끼리 전자쌍을 공유한다.

**08** 이온 결합에서 물질의 녹는점은 이온의 전하량에 비례하고, 양이온과 음이온 사이의 거리의 제곱에 반비례한다. 따라서 가장 녹는점이 높은 (가)가 MgO이고, (나)보다

(다)의 녹는점이 높으므로 (다)는 NaBr보다 이온 사이의 거리가 더 짧은 NaF이다.

**09** (가)는 $CO_2$이고, (나)는 HCN이다. (가)는 2중 결합, (나)는 3중 결합이 있는 공유 결합 물질이다.
**오개념 바로 알기** ④ (나)의 공유 전자쌍 수는 4이다.

**10** ㄱ. AB는 MgO이다.
**오개념 바로 알기** ㄴ. $BC_2$는 $OF_2$이다.
ㄷ. MgO은 이온 결합 물질이므로 고체일 때 전기 전도성이 없고, $OF_2$는 공유 결합 물질이므로 고체일 때 전기 전도성이 없다.

**문제 속 자료 분석** | **결합 모형**

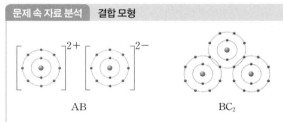

AB          $BC_2$

- A는 Mg, B는 O, C는 F이다.
- AB는 A가 전자를 2개 잃고, B가 전자를 2개 얻어 이온 결합한 MgO이다.
- B가 O이므로, $BC_2$는 비공유 전자쌍이 2개 있는 공유 결합 물질인 $OF_2$이다.

**11** AB는 NaF이고, CD는 CaO이다.
ㄴ. AB와 CD는 모두 금속 원소와 비금속 원소가 결합한 이온 결합 물질이다.
ㄷ. CD는 이온 결합 물질이므로 액체 상태에서 전기 전도성이 있다.
**오개념 바로 알기** ㄱ. Na은 3주기, F은 2주기 원소이다.

**12** A는 플루오린(F), B는 탄소(C), C는 질소(N), D는 마그네슘(Mg), E는 산소(O)이다. 화합물 ABC는 FCN이고, DE는 MgO이다.
ㄱ. ABC(FCN)는 공유 결합 물질이다.
ㄴ. DE(MgO)는 이온 결합 물질이다.
ㄷ. 금속인 D(Mg)와 비금속인 A(F)가 결합한 $MgF_2$은 이온 결합 물질이다.

**13** X는 H, Y는 N, Z는 Na이다. (가)는 HF, (나)는 NaF, (다)는 $NF_3$이다.

(가)는 공유 결합 물질이고, (나)는 이온 결합 물질, (다)는 공유 결합 물질이다.

| 화합물 | (가) | (나) | (다) | (라) |
|---|---|---|---|---|
| 화학식 | AD | $A_2C$ | $B_xD_4$ | $ED_y$ |

- A는 수소(H), B는 탄소(C), C는 산소(O), D는 플루오린(F), E는 마그네슘(Mg)이다.
- AD는 공유 결합 물질인 HF이다.
- $A_2C$는 공유 결합 물질인 $H_2O$이다.
- $B_xD_4$는 공유 결합 물질인 $CF_4$이다.
- $ED_y$는 이온 결합 물질인 $MgF_2$이다.

**문제 속 자료 분석** **화학 결합**

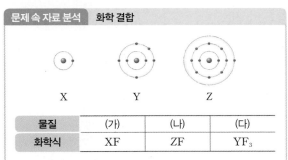

| 물질 | (가) | (나) | (다) |
|---|---|---|---|
| 화학식 | XF | ZF | $YF_3$ |

- X는 H, Y는 N, Z는 Na이다.
- (가)는 비금속 원소로 이루어진 공유 결합 물질 HF이다.
- (나)는 금속 원소와 비금속 원소로 이루어진 이온 결합 물질 NaF이다.
- (다)는 비금속 원소로 이루어진 공유 결합 물질 $NF_3$이다.

**14** A는 금속 결합 물질, B는 공유 결합 물질, C는 이온 결합 물질이다.
⑤ 고체 상태인 이온 결합 물질(C)에 힘을 가하면 쉽게 부스러진다.

**오개념 바로 알기** ① A는 금속 결합 물질이다.
② B는 비금속 원소끼리 결합한 공유 결합 물질이다.
③ 화학 결합의 세기는 녹는점이 더 높은 A가 C보다 강하다.
④ 망치로 치면 얇게 펴지는 것은 금속 결합 물질(A)이다.

**15** (가)는 액체 상태이고, (나)는 수용액 상태이다.
**오개념 바로 알기** ㄴ. NaCl은 이온 결합 물질이므로 (가)와 (나)는 모두 전류가 흐른다.

**16** (가)는 HF, (나)는 $H_2O$, (다)는 $CF_4$, (라)는 $MgF_2$이다.
ㄱ. $x$는 1, $y$는 2이다.
**오개념 바로 알기** ㄴ. (가)는 HF로 공유 결합 물질이다.
ㄷ. (나)는 공유 결합 물질이고, (라)는 이온 결합 물질이다.

**문제 속 자료 분석** **주기율표와 화학 결합**

| 주기＼족 | 1 | 2 | 13 | 14 | 15 | 16 | 17 | 18 |
|---|---|---|---|---|---|---|---|---|
| 1 | A | | | | | | | |
| 2 | | | | B | | C | D | |
| 3 | | E | | | | | | |

**17** X는 금속 결합, $Y_2$는 공유 결합, XY는 이온 결합이다. $X^+$은 금속 양이온이다.

**18** (가)는 공유 결합 물질 중 분자 결정이고, (나)는 이온 결정, (다)는 공유 결합 물질 중 원자 결정인 흑연으로 전기 전도성이 있다.
**오개념 바로 알기** ④ 화학 결합의 종류는 (가)는 공유 결합이고 (나)는 이온 결합이다. (다)는 공유 결합이다.

**19** A는 이온 결정이므로 염화 나트륨이고, C는 이온 결정과 공유 결합 물질이 아닌 구리이다. B는 이온 결정이 아니며 공유 결합 물질인 흑연이다.

**20** ㄴ. A는 자유 전자, B는 금속 양이온이다.
ㄷ. 금속 결정에 전압을 걸어 주면 전류가 흐른다. 이는 금속 양이온과 자유 전자로 이루어져 있기 때문이다.
**오개념 바로 알기** ㄱ. 금속 결합 물질은 망치로 두드리면 얇게 펴진다.

# 05 분자의 구조와 성질

● 기출 유형    본문 54~57쪽

**01** ②    **02** ①    **03** ②    **04** ③

## 01 전기 음성도와 결합의 극성

ㄴ. (나)는 극성이고 (다)는 무극성이다.

**오개념 바로 알기**  ㄱ. (가)는 이온 결합이다.

ㄷ. 전기 음성도는 $Y > X$이다.

## 02 루이스 전자점식과 구조식

원자와 원자 사이의 전자쌍이 공유 전자쌍이다.

ㄱ. (가)는 H와 F 사이에 극성 공유 결합을 한다.

**오개념 바로 알기**  ㄴ. 암모니아 분자는 입체 구조이다.

ㄷ. (다)에는 비공유 전자쌍이 없다.

## 03 분자의 구조

ㄴ. 무극성 분자는 (가)와 (다)이다.

**오개념 바로 알기**  ㄱ. 극성 공유 결합을 하는 분자는 3가지이다.

ㄷ. 입체 모양인 것은 (나)와 (다)이다.

## 04 분자의 극성

ㄱ, ㄴ. ㉠은 FCN, ㉡은 $NH_3$, ㉢은 $CO_2$이다.

**오개념 바로 알기**  ㄷ. ㉢은 $CO_2$로 결합각이 180°인 직선형이다.

● 기출 유사    본문 54~57쪽

**01** ④    **02** ③    **03** ⑤    **04** ⑤

## 01 전기 음성도와 결합의 극성

**문제 풀이 TiP**  F 몇 개와 결합하는지에 따라 원소를 추정할 수 있다.

(가)는 $CF_4$이고 (나)는 $NF_3$, (다)는 $OF_2$이다.

**보기 분석**

ㄱ. (나)에는 N와 F 사이에 극성 공유 결합이 있다.

ㄴ. 전기 음성도는 F이 가장 크다.

ㄷ. (다)는 구성 원소 간 전기 음성도 차가 있으므로 극성 공유 결합을 한다.

## 02 루이스 전자점식과 구조식

**문제 풀이 TiP**  원자와 원자 사이의 전자쌍이 공유 전자쌍이다.

**문제 분석**

산소($O_2$)는 공유 전자쌍이 2개, 비공유 전자쌍이 4개이다.

## 03 분자의 구조

**문제 풀이 TiP**  공유 전자쌍의 개수를 확인한다.

**보기 분석**

ㄱ. (가)는 극성 공유 결합을 한다.

ㄴ. (나)는 중심 원자에 공유 전자쌍만 있다.

ㄷ. 결합각은 (나)는 120°, (다)는 109.5°이다.

**문제 속 자료 분석**  **분자 구조와 극성**

$$H-C\equiv N \qquad F-B-F \qquad F-C-F$$

(가)            (나)            (다)

- (가)는 직선형, (나)는 평면 삼각형, (다)는 정사면체형 구조이다.
- (가)는 극성 분자이다.
- (나)와 (다)는 무극성 분자이다.

## 04 분자의 극성

**문제 풀이 TiP**  (가)는 $H_2O$, (나)는 $N_2H_4$, (다)는 $CH_4$이다.

**보기 분석**

ㄱ. (가)는 $H_2O$이다.

ㄴ. (나)의 N과 N 사이는 무극성 공유 결합이다.

ㄷ. (다)는 $CH_4$이다.

| 01 ④ | 02 ⑤ | 03 ③ | 04 ② | 05 ② |
| 06 ② | 07 ② | 08 ⑤ | 09 ④ | 10 ⑤ |
| 11 ④ | 12 ③ | 13 ② | 14 ④ | 15 ③ |
| 16 ③ | 17 ① | 18 ④ | 19 ① | 20 ② |

**01** 그려지지 않은 비공유 전자쌍을 생각한다. HCOOH에서 비공유 전자쌍은 산소에 각 2개씩 총 4개이고 공유 전자쌍은 5개이다.

**02** ㄱ. (가) HF는 극성 분자이다.
ㄴ. (나) $NH_3$의 분자 구조는 삼각뿔형이다.
ㄷ. (나)에는 H와 N 사이에 극성 공유 결합이 있다.

**03** XY는 MgO이고, $Y_2$는 $O_2$, $ZY_2$는 $CO_2$이다.
ㄱ. X는 Mg이다.
ㄴ. $a=2$이다.
오개념 바로 알기 ㄷ. $ZY_2$는 무극성 분자이다.

**04** (가)는 $H_2O$, (나)는 $CO_2$이다.
ㄴ. (나) $CO_2$의 분자 구조는 직선형이다.
오개념 바로 알기 ㄱ. (가)는 극성 분자이므로 쌍극자 모멘트는 0이 아니다.
ㄷ. $CA_4$는 $CH_4$이므로 분자 모양은 정사면체형이고 입체 구조이다.

**05** ㄷ. (다)는 $NH_3$로 극성 분자이다.
오개념 바로 알기 ㄱ. (가)에서 H는 예외로 옥텟 규칙을 만족하지 않는다.
ㄴ. (나)의 중심 원자는 옥텟 규칙을 만족하지 않는다.

**문제 속 자료 분석  루이스 전자점식**

:Cl:
:O:                :Cl:
H:C:H    B:Cl:    H:N:H
         :Cl:        H
(가)       (나)       (다)

· (가는 $CH_2O$로 평면 삼각형이고, 극성 분자이다.
· (나는 $BCl_3$로 평면 삼각형이고 쌍극자 모멘트가 0인 무극성 분자이다.
· (다는 $NH_3$로 중심 원자에 공유 전자쌍 3개, 비공유 전자쌍 1개인 삼각뿔형의 극성 분자이다.

**06** ㄷ. $CaCl_2$은 이온 결합 물질이다.
오개념 바로 알기 ㄱ. $BeCl_2$는 공유 결합 물질이다.
ㄴ. $MgCl_2$은 이온 결합 물질이다.

**07** 옥텟 규칙에 맞게 루이스 전자점식을 나타내야 한다.
오개념 바로 알기 (가)에서 F의 전자 1개를 전자쌍(점 2개)으로 그려야 하고, (다)에도 전자 1개를 전자쌍(점 2개)으로 그려야 한다.

**08** X는 N, Y는 O, Z는 F이다. $X_2$는 $N_2$로 공유 전자쌍 3개, 비공유 전자쌍 2개이다. $YZ_2$는 $OF_2$이며 극성 분자이고 중심 원자에 비공유 전자쌍이 2개 존재한다. $Z_2$는 $F_2$으로 무극성 분자이다.

**09** (가)는 $CF_4$, (나)는 $COF_2$, (다)는 $OF_2$이다.
ㄴ. (가)는 X와 Y 사이에 극성 공유 결합을 하는 무극성 분자이다.
ㄷ. (다)의 중심 원자(O)의 비공유 전자쌍은 2개이다.
오개념 바로 알기 ㄱ. (나)의 중심 원자(C)는 옥텟 규칙을 만족한다.

**문제 속 자료 분석  분자의 구조**

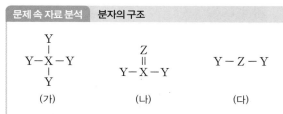

· X~Z는 2주기 원소이므로 X는 C, Y는 F, Z는 O이다.
· (가)는 $CF_4$로 무극성 분자이고 정사면체형 구조이다.
· (나)는 $COF_2$로 극성 분자이고 평면 삼각형 구조이다.
· (다)는 $OF_2$로 극성 분자이고 굽은 형 구조이다.

**10** W는 C, X는 H, Y는 O, Z는 F이다.
(가)는 $CH_2O$, (나)는 $OF_2$, (다)는 $CO_2$이다. 극성 분자는 (가)와 (나)이다.

**11** (가)는 $CO_2$, (나)는 $CF_4$, (다)는 $COF_2$이다.
ㄴ. (나)의 분자 모양은 정사면체형이다.
ㄷ. (다)는 구성하는 모든 원자가 같은 평면에 존재하는 평면 삼각형 모양이다.
오개념 바로 알기 ㄱ. (가)의 쌍극자 모멘트는 0으로 무극성 분자이다.

| 분자 | (가) | (나) | (다) |
|---|---|---|---|
| 구성 원소 | C, O | C, F | C, O, F |
| 구성 원자 수 | 3 | 5 | 4 |
| 비공유 전자쌍 수 | 4 | 12 | 8 |

- (가)는 $CO_2$로 무극성 분자이고 직선형 구조이다.
- (나)는 $CF_4$로 무극성 분자이고 정사면체형 구조이다.
- (다)는 $COF_2$로 극성 분자이고 평면 삼각형 구조이다.
- (가)는 O에 비공유 전자쌍이 2개씩 있어 총 4개이다.
- (나)는 F에 비공유 전자쌍이 3개씩 있어 총 12개이다.
- (다)는 O에 비공유 전자쌍이 2개, F에 비공유 전자쌍이 3개씩 있어 총 8개이다.

**12** 에타인($C_2H_2$)은 무극성 분자이고, 다이아젠($N_2H_2$)은 중심 원자에 비공유 전자쌍이 있어 극성 분자이다.

오개념 바로 알기   ㄷ. $C_2H_2$은 직선형이지만, $N_2H_2$은 질소에 비공유 전자쌍이 있어 직선형이 아니다.

**13** $\alpha$는 $NH_3$의 결합각인 107°이며, $\beta$는 $BCl_3$의 결합각인 120°이다. $BCl_3$의 분자 모양은 평면 삼각형이다.

오개념 바로 알기   ㄱ. $\alpha$는 107°이다.

ㄷ. $CO_2$의 결합각은 180°로 Ⅲ의 가장 끝에 위치한다.

**14** $CO_2$는 다중 결합이 있으므로 ㉠에 포함되고, $H_2O$은 극성 분자이므로 ㉢에 포함된다.

오개념 바로 알기   ㄱ. $CF_4$는 정사면체형이므로 (가)로 '직선형인가?'는 적절하지 않다.

| 분류 기준 | 예 | 아니요 |
|---|---|---|
| (가) | $CF_4$ | $H_2O$, $CO_2$ |
| 다중 결합이 있는가? | ㉠ | ㉡ |
| 극성 분자인가? | ㉢ | ㉣ |

- $H_2O$은 다중 결합이 없고 극성 분자이다.
- $CO_2$는 2중 결합이 있고 무극성 분자이다.
- $CF_4$는 다중 결합이 없고 무극성 분자이다.
- ㉠은 $CO_2$, ㉡은 $H_2O$, $CF_4$, ㉢은 $H_2O$, ㉣은 $CO_2$, $CF_4$이다.

**15** A는 나트륨(Na), B는 플루오린(F), C는 산소(O)이다. (가)의 생성물은 NaF로 이온 결합 물질이고 옥텟 규칙을 만족한다. (나)의 생성물은 $OF_2$로 공유 결합 물질이다.

오개념 바로 알기   ㄴ. (나)의 생성물에서 B와 C는 모두 옥텟 규칙을 만족한다.

**16** $O_2$는 무극성 분자이고, 비공유 전자쌍 수가 4이다. 플루오린($F_2$)은 비공유 전자쌍 수가 6이고, 질소($N_2$)는 비공유 전자쌍 수가 2이다. HF와 $H_2O$은 극성 분자이다.

**17** ㄱ. (가)에 해당하는 분자는 $H_2O$, $BF_3$로 2가지이다.

오개념 바로 알기   ㄴ. (라)에 해당하는 분자는 $BF_3$와 $CCl_4$로 2가지이다.

ㄷ. (바)에 해당하는 분자는 $BF_3$이다.

[분자]    $H_2O$    $NH_3$    $BF_3$    $CCl_4$

[분류]

| 기준 | 예 | 아니요 |
|---|---|---|
| 모든 원자가 동일한 평면에 있는가? | (가) $H_2O$, $BF_3$ | (나) $NH_3$, $CCl_4$ |
| 극성 분자인가? | (다) $NH_3$, $H_2O$ | (라) $BF_3$, $CCl_4$ |
| 중심 원자가 옥텟 규칙을 만족하는가? | (마) $H_2O$, $NH_3$, $CCl_4$ | (바) $BF_3$ |

- $BF_3$는 중심 원자가 옥텟 규칙을 만족하지 않는 예외적인 분자로 공유 전자쌍 3개가 있어 평면 삼각형 구조를 가진 무극성 분자이다.

**18** A는 마그네슘(Mg), B는 산소(O)이고, C는 플루오린(F)이다. A와 C는 1 : 2의 비율로 결합하는 이온 결합 물질 $AC_2$($MgF_2$)를 생성한다.

**19** ㄱ. 대전된 에보나이트 막대를 대었을 때 물줄기가 휘는 액체 A는 극성 물질이고, 물줄기가 휘지 않는 액체 B는 무극성 물질이다.

오개념 바로 알기   ㄴ. 극성 공유 결합이 있더라도 쌍극자 모멘트의 합이 0이면 무극성 분자이다.

ㄷ. (가)에 반대 전하를 띤 대전체를 대어도 대전체 쪽으로 액체 줄기가 휜다.

**20** HCN은 극성 분자이고, 무극성 공유 결합이 없으며 다중 결합이 있으므로 3−1=2점이다.

# 06 일차 동적 평형과 산 염기 반응

● 기출 유형          본문 66~69쪽

01 ①          02 ④          03 ①          04 ④

## 01 동적 평형

ㄱ. 증발 속도는 일정하다.

**오개념 바로 알기** ㄴ. 동적 평형 상태가 될 때까지는 증발된 분자가 많아지므로 응축 속도는 점점 증가한다.

ㄷ. 증발 속도와 응축 속도가 같은 $t_3$일 때 동적 평형에 도달한다.

## 02 물의 자동 이온화와 pH

ㄴ. (나)는 pH가 9이므로 염기성이다.

ㄷ. 25 ℃에서 pH + pOH=14이다.

**오개념 바로 알기** ㄱ. pH는 (가)가 5, (나)가 9이다.

## 03 산 염기

ㄱ. (가)에서 $NH_3$는 $H^+$를 받으므로 브뢴스테드·로리 염기이다.

**오개념 바로 알기** ㄴ. (나)에서 $H_2O$는 브뢴스테드·로리 염기이다.

ㄷ. (나)에서 $HClO_4$은 수용액에서 $H^+$를 내놓으므로 아레니우스 산이다.

## 04 중화 반응의 양적 관계

0.1 M HCl 10 mL에 $H^+$과 $Cl^-$이 각각 N개씩 있다면 $x$ M NaOH 수용액 15 mL에는 $Na^+$과 $OH^-$이 3N개씩 있다.

ㄱ. ▲와 ●는 반응하지 않고 남아 있으므로 구경꾼 이온이다.

ㄷ. 0.1 M HCl 20 mL에는 $H^+$이 2N개 있으므로 혼합 용액에 이것을 넣으면 완전히 중화된다.

**오개념 바로 알기** ㄴ. 혼합 용액 속에 $OH^-$이 존재하므로 염기성이다.

---

● 기출 / 유사          본문 66~69쪽

01 ⑤          02 ⑤          03 ⑤          04 ③

## 01 동적 평형

**문제 풀이 TiP** 동적 평형 상태는 겉으로 보기에는 아무 반응이 없는 것처럼 보이지만 정반응과 역반응이 끊임없이 일어나고 있다.

**보기 분석**

ㄱ. 동적 평형 상태에서 $NO_2$는 없는 게 아니라 일정한 농도가 유지된다.

ㄴ. $NO_2$와 $N_2O_4$의 반응 몰비는 2 : 1이다.

ㄷ. 동적 평형 상태에서는 정반응 속도와 역반응 속도가 같다.

> **개념 체크⁺** 동적 평형
>
> • 정반응: 화학 반응식에서 오른쪽으로 진행되는 반응
> • 역반응: 화학 반응식에서 왼쪽으로 진행되는 반응
> • 가역 반응: 정반응과 역반응이 모두 일어날 수 있는 반응
> • 비가역 반응: 한쪽 방향으로만 진행되는 반응으로, 역반응이 일어나지 않거나 정반응에 비해 무시할 수 있을 만큼 거의 일어나지 않는다.
> • 동적 평형: 가역 반응에서 정반응과 역반응의 속도가 같아서 겉보기에는 변화가 없는 것처럼 보이는 상태
> • 동적 평형 상태에서는 반응물과 생성물의 양이 일정하게 유지된다.

## 02 물의 자동 이온화와 pH

**문제 풀이 TiP** pH가 7이면 중성, 7보다 작으면 산성, 7보다 크면 염기성이다.

**보기 분석**

ㄱ. pH=7은 중성이다.

ㄴ. 25 ℃에서 pH+pOH=14이므로 pOH=3이면 pH=11이다.

ㄷ. pH=2인 수용액의 $[H_3O^+]$는 pH=4인 수용액의 100배이다.

## 03 산 염기

**문제 풀이 TiP** 물은 양쪽성 물질이다. 브뢴스테드·로리 산은 $H^+$(양성자)를 주는 물질이다.

**보기 분석**

ㄱ. 브뢴스테드·로리 산은 HF이다.

ㄴ. 브뢴스테드·로리 산은 $H_2O$이다.

ㄷ. 브뢴스테드·로리 산은 $H_2O$이다.

## 04 중화 반응의 양적 관계

문제 풀이 TiP (다)에서 중화 반응이 완결되었다.

┃보기 분석┃

ㄱ. $x$ M HCl 100 mL를 넣어야 반응이 완결되므로 $0.2 \times 0.05 = x \times 0.1$, $x = 0.1$이다.

ㄴ. (나)는 $OH^-$이 존재하므로 염기성이다.

ㄷ. (다)는 중성이므로 $pH = pOH = 7$이다. 따라서 $[H_3O^+] = [OH^-] = 1.0 \times 10^{-7}$ M이다.

문제 속 자료 분석 **중화 반응의 양적 관계**

• (가)는 0.2 M 50 mL이므로, 완전히 중화되는 $OH^-$의 양은 $0.2 \times 0.05 = 0.01$몰이다.

• (다)에서 HCl 100 mL를 넣어 반응이 완결되었으므로, HCl의 몰 농도는 $\dfrac{0.01몰}{0.1 \text{ L}} = 0.1$ M이다.

---

### 기초력 집중드릴 본문 70~75쪽

| | | | | |
|---|---|---|---|---|
| 01 ④ | 02 ① | 03 ③ | 04 ④ | 05 ③ |
| 06 ③ | 07 ② | 08 ③ | 09 ① | 10 ① |
| 11 ⑤ | 12 ③ | 13 ③ | 14 ⑤ | 15 ⑤ |
| 16 ③ | 17 ① | 18 ① | 19 ⑤ | 20 ③ |

**01** ㄴ. (나)는 아세트산으로 물에서 $H^+$을 내놓으므로 아레니우스 산이다.

ㄷ. (나)를 염기 수용액에 녹일 때 (나)는 $H^+$를 주므로 브뢴스테드·로리 산으로 작용한다.

오개념 바로 알기 ㄱ. (가)는 물에서 $H^+$을 내놓는 아레니우스 산이다.

**02** 브뢴스테드·로리 염기는 $H^+$를 받는다.

문제 속 자료 분석 **산과 염기**

(가) $H_2CO_3 + H_2O \rightleftharpoons HCO_3^- + H_3O^+$
　　　　산　　　　염기

(나) $HS^- + H_2O \rightleftharpoons H_2S + OH^-$
　　 염기　　　　산

(다) $CN^- + H_2O \rightleftharpoons HCN + OH^-$
　　 염기　　　　산

• 브뢴스테드·로리 산은 양성자 주개이고, 브뢴스테드·로리 염기는 양성자 받개이다.

**03** ㄱ. (가)는 증발 속도이고 (나)는 응축 속도이다.

ㄷ. $t_2$ 이후에는 용기 속 수증기의 분자 수가 일정하게 유지되지만 멈추어 있는 것이 아니라 정반응과 역반응이 계속 일어난다.

오개념 바로 알기 ㄴ. $t_1$에서는 아직 동적 평형에 도달하지 않았다.

**04** 물질 X는 HCl이다.

오개념 바로 알기 ㄴ. (나)에서 $NH_3$는 양성자 받개이므로 브뢴스테드·로리 염기이다.

**05** 두 용액의 농도가 같기 때문에 섞으면 완전 중화되어 중성이 된다.

오개념 바로 알기 ㄷ. 혼합 용액은 중성이므로 페놀프탈레인을 떨어뜨려도 무색을 띤다.

**06** ㄱ. II는 중성이므로 $OH^-$이 존재하지 않는다.

ㄷ. IV에서 반응하고 남은 $H^+$이 있으므로 혼합 용액은 산성이다.

오개념 바로 알기 ㄴ. 온도가 가장 높은 중화점에서 두 용액의 부피비가 다르므로 용액의 농도가 서로 다르다.

**07** ㄴ. $t$초 이후에는 분자 수가 일정하게 유지되지만 멈추어 있는 것이 아니라 정반응과 역반응이 계속 일어난다.

오개념 바로 알기 ㄱ. 2가지 물질이 같이 존재한다.

ㄷ. $t$초 이후에는 동적 평형 상태이므로 정반응과 역반응이 같은 속도로 동시에 일어난다.

**08** 물의 자동 이온화는 가역 반응이면서 동적 평형이다. 물의 이온화 상수가 매우 작은 이유는 반응물의 양이 생성물

보다 많기 때문이다. 물의 자동 이온화는 가역 반응이지만 역반응보다 정반응이 우세하다.

**오개념 바로 알기** ㄷ. 25 ℃에서 $[H_3O^+] = [OH^-] = 1.0 \times 10^{-7}$이다.

**09** ㄱ. 증발 속도는 일정하고 응축 속도는 (다)까지 증가한다.
**오개념 바로 알기** ㄴ. (나)보다 (다)에서 응축 속도가 더 빠르다.
ㄷ. (다)에서는 증발이 일어나지 않는 것처럼 보이지만 증발과 응축이 계속해서 일어나고 있다.

**10** ㄱ. 레몬의 pH가 가장 작으므로 $[H_3O^+]$가 가장 크다.
**오개념 바로 알기** ㄴ. 비누는 pH가 가장 크고, pOH는 가장 작다.
ㄷ. 우유는 pH가 7보다 작으므로 산성이다.

**문제 속 자료 분석** pH

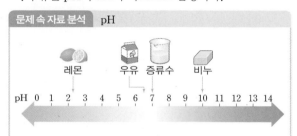

레몬  우유 증류수  비누

pH 0 1 2 3 4 5 6 7 8 9 10 11 12 13 14

- pH < 7이면 산성, pH > 7이면 염기성이다. pH = 7인 증류수는 중성이다.
- pH < 7에서 숫자가 작아질수록 강한 산성을 나타내고, $[H_3O^+]$의 농도는 증가한다.

**11** $pH = -\log[H^+]$이고, $pOH = -\log[OH^-]$이다. 또 25 ℃에서 pH + pOH = 14이다. 수산화 나트륨 수용액에서 $[OH^-] = \dfrac{\frac{0.4}{40} \text{몰}}{1\,\text{L}} = 0.01$ M이므로, pOH = 2이다. 따라서 pH = 12이다.

**12** 25 ℃에서 pH + pOH = 14이고, $[H_3O^+][OH^-] = 1.0 \times 10^{-14}$이다.

| 수용액 | $[H_3O^+]$ (M) | pH | $[OH^-]$ (M) | pOH |
|---|---|---|---|---|
| (가) | $1 \times 10^{-4}$ | 4 | ㉠($1 \times 10^{-10}$) | 10 |
| (나) | $1 \times 10^{-9}$ | 9 | $1 \times 10^{-5}$ | 5 |

**오개념 바로 알기** ㄷ. pH는 (가) < (나)이다.

**13** ㄱ. (가)에서 물은 $H^+$를 받으므로 브뢴스테드·로리 염기로 작용한다.
ㄷ. (다)에서 HCN는 $H^+$를 주므로 브뢴스테드·로리 산으로 작용한다.
**오개념 바로 알기** ㄴ. (나)에서 $HCO_3^-$은 $H^+$를 주므로 브뢴스테드·로리 산으로 작용한다.

**14** (가)는 중성, (나)는 염기성, (다)는 산성이다. 중성에서는 $[H_3O^+] = [OH^-]$이다.

**15** $H^+$를 받는 물질을 브뢴스테드·로리 염기라고 한다.
ㄱ. (가)에서 NaOH은 물에 녹아 $OH^-$을 내놓으므로 아레니우스 염기이다.
ㄴ. (나)에서 $NH_3$는 $H^+$를 받는다.
ㄷ. (다)에서 $H_2O$은 $H^+$를 받는다.

**16** 이온 (가)의 수는 A까지 점점 줄어들다 0이 되므로 (가)는 중화 반응으로 없어진 수소 이온($H^+$)이다.
**오개념 바로 알기** ㄷ. B는 염기성이므로 pH > 7이다.

**문제 속 자료 분석** 중화 반응에서 이온 수 변화

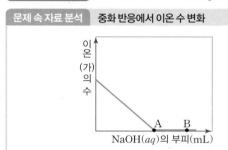

이온 (가)의 수

A B

NaOH($aq$)의 부피(mL)

- (가)는 점점 감소하다가 A 이후 존재하지 않으므로 중화 반응에서 모두 소모된 $H^+$이다.
- A에서 중화 반응이 완결되었으므로 B에서는 더 이상 중화 반응이 일어나지 않아 A와 B에서 생성되는 물 분자 수는 같다.
- A에서 혼합 용액은 중성, B에서 혼합 용액은 염기성이다.

**17** ㄱ. (가)와 (나)의 알짜 이온은 $H^+$과 $OH^-$으로 같다. A와 B는 $H_2O$이다.
**오개념 바로 알기** ㄴ. (가)와 (나)에서 구경꾼 이온의 종류는 다르다.
ㄷ. (나)에서 황산 1몰이 반응하면 물 2몰이 생성된다.

**18** ㄱ. (가)에서 용해와 석출이 동시에 일어나고 있다.
**오개념 바로 알기** ㄴ. (나)에서 용해되는 설탕이 석출되는

설탕보다 많다.

ㄷ. (다)는 동적 평형 상태이므로 겉으로는 아무 반응이 없는 것처럼 보인다.

**19** 몰 농도의 비를 보고 산성, 중성, 염기성을 확인할 수 있다. (가)는 $[OH^-]$가 더 크므로 염기성, (다)는 $[H_3O^+]$가 더 크므로 산성이다.

ㄱ. (가)는 $[H_3O^+] : [OH^-] = 1 : 10^2$이므로 $[OH^-] = 10^2 \times [H_3O^+]$이다. $[H_3O^+][OH^-] = 1.0 \times 10^{-14}$ 이므로 $[H_3O^+] = 1.0 \times 10^{-8}$ M이고 pH = 8이다.

ㄴ. (나)는 $[H_3O^+] = [OH^-]$이므로 중성이다.

ㄷ. (다)는 $[H_3O^+] : [OH^-] = 10^2 : 1$이므로 $[H_3O^+] = 10^2 \times [OH^-]$이다. $[H_3O^+][OH^-] = 1.0 \times 10^{-14}$ 이므로 $[OH^-] = 10^{-8}$ M이고 (다)의 pOH는 8이다.

**개념 체크⁺** pH와 pOH

- $pH = \log \dfrac{1}{[H^+]} = -\log[H^+] \Rightarrow [H^+] = 10^{-pH}$
- $pOH = \log \dfrac{1}{[OH^-]} = -\log[OH^-] \Rightarrow [OH^-] = 10^{-pOH}$
- pH < 7이면 산성, pH > 7이면 염기성, pH = 7이면 중성이다.
- 수용액 속의 $H_3O^+$ 농도가 커지면 pH 값이 작아지므로 pH 값이 작을수록 산성이 강하다.
- 수용액의 pH가 1씩 작아질수록 수용액 속의 $[H_3O^+]$는 10배씩 증가한다.
- 25 ℃에서 물의 자동 이온화 상수($K_w$)는 $1.0 \times 10^{-14}$로 일정하므로 pH + pOH = 14이다.

**20** 물은 (가)에서는 염기, (나)에서는 산이다.

**오개념 바로 알기** B. (가)에서 $H_2O$은 $H^+$를 받으므로 브뢴스테드·로리 염기이다.

---

**07** **일차** 산화 환원 반응, 화학 반응과 열 출입

● **기출 유형**  본문 78~81쪽

| 01 ③ | 02 ② | 03 ⑤ | 04 ⑤ |

**01 산화와 환원**

ㄱ. ㉠은 CO이다.

ㄴ. (나)에서 ㉠은 $CO_2$로 산화되었다.

**오개념 바로 알기** ㄷ. Al은 $Al_2O_3$로 산화되었다.

**02 산화수**

각각의 산화수는 다음과 같다.

| +4 | +2 | +3 | +7 |
| $MnO_2$ | $MnCl_2$ | $Mn_2O_3$ | $KMnO_4$ |

**오개념 바로 알기** ㄱ. $MnO_2$에서 Mn의 산화수는 +4 이다.

ㄷ. Mn의 산화수는 $MnCl_2$에서 +2이고, $KMnO_4$에서 +7이다.

**03 산화 환원 반응의 양적 관계**

ㄱ. Zn이 1몰 반응할 때 HCl이 2몰 반응하므로 반응 몰비는 1 : 2이다.

ㄴ. 반응에서 Zn은 $ZnCl_2$으로 산화되므로 환원제이다.

ㄷ. 1 M HCl 200 mL에서 $H^+$은 0.2몰이므로, Zn 6.5 g (0.1몰)과 반응하면 $H_2$ 0.1몰이 생성된다.

**04 화학 반응과 열**

화학 반응에는 흡열 반응과 발열 반응이 있다. 대표적인 발열 반응은 연소 반응과 중화 반응이다.

● **기출 / 유사**  본문 78~81쪽

| 01 ① | 02 ③ | 03 ⑤ | 04 ④ |

**01 산화와 환원**

**문제 풀이 TiP** 산소를 얻으면 산화되고, 산소를 잃으면 환원된다.

**┃보기 분석┃**

ㄱ. (가)에서 Mg은 MgO이 되었으므로 산화되었다.

ㄴ. CO는 산소를 얻어 $CO_2$가 되었으므로 산화되었다.

ㄷ. $Fe_2O_3$은 산소를 잃어 Fe이 되었으므로 환원되었다.

## 02 산화수

(문제 풀이 TiP) 산화수를 정하는 규칙에 대해 알고 있어야 한다.

**┃보기 분석┃**

① $H_2O_2$에서 O의 산화수는 $-1$이다.

② 홑원소 물질에서 원자의 산화수는 0이다.

③ 원자가 전자를 잃으면 산화수가 증가한다.

④ 화합물을 구성하는 원자들의 산화수의 총합은 0이다.

⑤ 공유 결합에서는 전기 음성도가 큰 원자가 공유 전자쌍을 모두 가진다고 가정한다.

## 03 산화 환원 반응의 양적 관계

(문제 풀이 TiP) 산화 환원 반응의 양적 관계에서는 화학 반응식에서 증가한 산화수와 감소한 산화수가 같다.

**┃보기 분석┃**

ㄱ. H의 산화수는 $+1$로 변하지 않는다.

ㄴ. $a=2$, $b=1$, $c=2$, $d=2$이므로 $a+b+c+d=7$이다.

ㄷ. $H_2O_2$는 환원되므로 산화제이다.

| 문제 속 자료 분석 | 산화 환원 반응의 양적 관계 |

$$aFe^{2+} + bH_2O_2 + cH^+ \longrightarrow aFe^{3+} + dH_2O$$
$$(a\sim d\text{는 반응 계수})$$

• Fe은 산화수가 1 증가했고, O의 산화수는 $-1$에서 $-2$로 감소하였다. 이때 증가한 산화수와 감소한 산화수가 같아야 하므로 산화수의 변화는 2이다.

• $a=2$, $b=1$, $c=2$, $d=2$이다.

## 04 화학 반응과 열

(문제 풀이 TiP) 화학 반응식에는 발열 반응과 흡열 반응이 있다.

**┃보기 분석┃**

연소 반응과 중화 반응은 대표적인 발열 반응이다. 질산 암모늄의 용해 반응은 흡열 반응이다.

---

**01** Cu의 산화수는 2 증가하고, N의 산화수는 3 감소한다. 따라서 증가한 산화수와 감소한 산화수가 같도록 하고 원자의 계수를 맞추어 주면, $a=2$, $b=3$, $c=8$, $d=4$이다.

**02** • $C + O_2 \longrightarrow CO_2$
　　　산화　환원

• $CuO + H_2 \longrightarrow Cu + H_2O$
　　환원　　산화

**03** A와 C는 반응 후 $t_2$의 온도가 더 높은 것으로 보아 발열 반응이고, B는 $t_2$의 온도가 더 낮은 것으로 보아 흡열 반응이다. 흡열 반응은 반응물의 에너지 < 생성물의 에너지이다.

**04** ㄱ. (가)에서 CuO는 Cu로 환원된다.

| 문제 속 자료 분석 | 산화 환원 반응 |

(가) $CuO + H_2 \longrightarrow Cu + H_2O$
➡ CuO는 환원되고 $H_2$는 산화된다.

(나) $Fe_2O_3 + 3CO \longrightarrow 2Fe + 3CO_2$
➡ $Fe_2O_3$은 환원되고, CO는 산화된다.

(다) $MnO_2 + 4HCl \longrightarrow MnCl_2 + 2H_2O + Cl_2$
➡ $MnO_2$는 환원되고, HCl은 산화된다.

(오개념 바로 알기) ㄴ. (나)에서 CO는 산화된다.

ㄷ. (다)에서 Mn의 산화수는 $+4$에서 $+2$로 감소한다.

**05** (가)에서 C가 산화되었고, $Cl_2$가 환원되었다.

ㄱ. $TiCl_4$에서 Ti의 산화수는 $+4$이다.

ㄴ. (가)에서 Ti의 산화수는 $+4$로 변하지 않았다.

(오개념 바로 알기) ㄷ. Mg의 산화수는 0에서 $+2$로 증가하였다.

**06** X의 산화수가 (가)에서 $-2$인 것으로 보아 전기 음성도는 Z > X > Y이다.

(나)에서 Z의 산화수는 $-1$이고, Y의 산화수는 $+1$이므로 X의 산화수는 $+2$이다.

**문제 속 자료 분석** 전기 음성도와 산화수

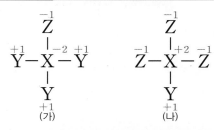

- 공유 결합에서는 전기 음성도가 큰 원자가 공유 전자쌍을 모두 가진다고 가정할 때, 각 구성 원자의 산화수가 그 원자의 산화수이다.
- X의 산화수가 (가)에서 $-2$이므로 전기 음성도는 Z>X>Y이다.
- (가)에서 Y의 산화수는 $+1$, Z의 산화수는 $-1$이다.
- 전기 음성도는 Z>X>Y이므로 (나)에서 Z의 산화수는 $-1$이고, Y의 산화수는 $+1$이다. 따라서 X의 산화수는 $+2$이다.

**07** ㄱ. (가)에서 Al은 산소를 얻어 산화되었다.

ㄴ. (나)에서 Mg은 산화되었으므로 환원제이다.

**오개념 바로 알기** ㄷ. $a=2$, $b=4$, $c=2$, $d=6$이므로 $a+b<c+d$이다.

**문제 속 자료 분석** 산화 환원 반응의 양적 관계

(가) $Fe_2O_3 + 2Al \longrightarrow 2Fe + Al_2O_3$

(나) $Mg + 2HCl \longrightarrow MgCl_2 + H_2$

(다) $Cu + aNO_3^- + bH_3O^+ \longrightarrow Cu^{2+} + cNO_2 + dH_2O$
    ($a{\sim}d$는 반응 계수)

- (가)에서 $Fe_2O_3$은 환원되고, Al은 산화되었다.
- (나)에서 Mg은 산화되었고, HCl은 환원되었다.
- (다)에서 Cu의 산화수는 2 증가하였고, N의 산화수는 1 감소하였으므로 계수를 맞추어 주면 $a=2$, $b=4$, $c=2$, $d=6$이다.

**08** 화학 반응식은 다음과 같다.

$Cu(s) + 2Ag^+(aq) \longrightarrow Cu^{2+}(aq) + 2Ag(s)$

Cu가 1몰 반응할 때 $Ag^+$은 2몰 반응한다.

$Ag^+$은 전자를 얻고 환원되므로 산화제이다. 구리는 산화수가 증가하며 전자를 잃는다.

**09** 화학 반응식의 산화수는 다음과 같다.

$$\underset{\text{㉠}}{\overset{+6}{Na_2Cr_2}O_7} + 2\underset{\text{㉡}}{\overset{0}{C}} \longrightarrow Cr_2O_3 + \underset{\text{㉢}}{Na_2\overset{+4}{C}O_3} + \underset{\text{㉣}}{\overset{+2}{C}O}$$

**10** 에탄올 분자에서 C와 C 사이에는 전자의 끌어당김이 없고, O는 전자를 끌어당기고 C와 H 사이에서는 C가 전자를 끌어당긴다. 따라서 왼쪽의 탄소는 $-3$, 오른쪽의 탄소는 $-1$, 산소는 $-2$, 수소는 $+1$이다.

**문제 속 자료 분석** 전기 음성도와 산화수

$$\overset{+1}{H} \quad \overset{+1}{H}$$
$$\overset{+1}{H} - \overset{-3}{C} - \overset{-1}{C} - O - \overset{+1}{H}$$
$$\underset{+1}{H} \quad \underset{+1}{H} \quad \underset{-2}{}$$

- 공유 결합에서는 전기 음성도가 큰 원자가 공유 전자쌍을 모두 가진다고 가정할 때, 각 구성 원자의 산화수가 그 원자의 산화수이다.
- 전기 음성도는 O>C>H이다.
- 에탄올에서 H의 산화수는 $+1$, O의 산화수는 $-2$이다.
- 에탄올에서 H 원자 3개와 결합한 C의 산화수는 $-3$, H 원자 2개, O 원자 1개와 결합한 C의 산화수는 $-2+1=-1$이므로 C 원자의 산화수 합은 $-3-1=-4$이다.

**11** ㄴ. HClO에서 H의 산화수는 $+1$, O의 산화수는 $-2$이므로 Cl의 산화수는 $+1$이다.

**오개념 바로 알기** ㄱ. (가)에서 Na은 산화수가 증가하므로 산화된다.

ㄷ. (다)에서 $Cl_2$는 환원되므로 산화제이다.

**12** ㄱ. 연소 반응에서 뷰테인은 산화된다.

ㄴ. 산화 철을 환원시켜 산소를 잃게 하면 철을 얻는다.

**오개념 바로 알기** ㄷ. N은 산화수가 0에서 $-3$으로 감소하므로 $N_2$는 환원된다.

**13** ㄱ. $CH_4$에서 C의 산화수는 $-4$이다.

**오개념 바로 알기** ㄴ. (가)에서 N의 산화수는 $-3$으로 일정하다.

ㄷ. (나)에서 C는 $-2$에서 $-3$으로 산화수가 감소하였으므로 $C_2H_4$은 환원된다.

**14** 환원되는 물질은 다른 물질을 산화시키는 산화제이다.

ㄱ. ㉠은 Fe이다.

ㄴ. 산화 철이 산소를 잃어 환원되었으므로 산화제이다.

**오개념 바로 알기** ㄷ. Al의 산화수는 0에서 $+3$으로 증가한다.

**15** ㄴ. 산화 환원 반응은 전자의 이동으로도 설명할 수 있다.

ㄷ. 학생 C가 말한 반응에서는 Ag이 $Ag^+$이 되므로 산화된다.

오개념 바로 알기 ㄱ. 학생 A가 말한 반응은 산화수가 변하지 않으므로 산화 환원 반응이 아니다.

**16** 물이 증발하여 시원해지는 것은 물이 기화할 때 기화열을 주위에서 빼앗아오기 때문이므로 흡열 반응이다.

오개념 바로 알기 철 가루와 산소가 만나는 반응은 발열 반응이고, 가스가 연소하는 것은 발열 반응이다.

**17** 구리가 구리 이온이 되면 수용액이 푸른색으로 변한다. 산화 환원 반응은 항상 동시에 일어나고 주고받는 전자 수도 같다. 화학 반응식은 다음과 같다.

$$Zn(s) + Cu^{2+}(aq) \longrightarrow Zn^{2+}(aq) + Cu(s)$$

ㄱ. 반응이 진행되면 푸른색 구리 이온이 줄어들므로 푸른색이 옅어진다.

ㄴ. 아연은 산화되었으므로 환원제로 작용한다.

ㄷ. Zn이 잃고 $Cu^{2+}$이 얻은 전자 수는 같다.

**18** 산화 환원 반응이 되려면 산소 또는 전자의 이동이 있거나 산화수의 변화가 있어야 한다. 산화수의 변화가 있는 것은 (가)와 (다)이다.

**19** 화학 반응식의 계수를 통해 반응 몰비를 알 수 있다.

ㄱ. (가)는 $H_2$가 아니라 $2H^+$인 것은 산화 환원 반응에 참여하지 않았기 때문이다

ㄴ. 아이오딘($I_2$)은 환원되었으므로 산화제이다.

ㄷ. $H_2SO_3$과 $I_2$은 1 : 1의 몰비로 반응한다.

**20** 화학 반응식에서 산화 환원은 다음과 같다.

$$
\begin{array}{c}
\overset{+4}{\phantom{}} \quad \overset{-2}{\phantom{}} \qquad \qquad \overset{0}{\phantom{}} \\
(가)\ SO_2(g) + 2H_2S(g) \longrightarrow 2H_2O(l) + 3S(s) \\
\text{환원} \qquad \text{산화}
\end{array}
$$

$$
\begin{array}{c}
\overset{+4}{\phantom{}} \qquad \overset{0}{\phantom{}} \qquad \overset{+6-2}{\phantom{}} \\
(나)\ SO_2(g) + \tfrac{1}{2}O_2(g) \longrightarrow SO_3(g) \\
\text{산화} \qquad \text{환원}
\end{array}
$$

ㄱ. (가)에서 $H_2S$는 산화된다.

ㄷ. S의 산화수가 가장 큰 것은 $SO_3$이다.

오개념 바로 알기 ㄴ. $SO_2$은 (가)에서 환원되고 (나)에서 산화된다.

---

**융합** **모의고사**

**08 일차** **누구나 100점**

● 1회 부록 1~2쪽

| 01 ⑤ | 02 ④ | 03 ③ | 04 ④ | 05 ③ |
| 06 ⑤ | 07 ② | 08 ① | 09 ③ | 10 ⑤ |

**01** (가)는 합성 섬유, (나)는 천연 섬유이다.

**02** (가)의 한 분자당 산소 수는 1개, (나)의 한 분자당 산소 수는 2개이다.

**03** 각각의 원자량을 계산해 보면 3X＝Y이고, 4Y＝3Z이므로, 원자량은 Z＝32, X＝8이다. 따라서 XZ의 화학식량은 40이다.

**04** ④ $t$ ℃, 1기압에서 $O_2$ 1몰이 반응하면 $H_2O$ 2몰이 생성되므로 부피는 60 L이다.

오개념 바로 알기 ① $a$는 2이다.

② $H_2$ 1 g(0.5몰)이 반응하면 $H_2O$ 0.5몰이 생성된다.

③ $H_2$ 1몰과 $O_2$ 16 g(0.5몰)이 반응하면 $O_2$가 모두 소모된다.

⑤ 반응이 일어나도 전체 기체의 질량은 일정하다.

**05** (가)는 금속 결합, (나)는 이온 결합이다. A는 (＋)전하를 띠는 양이온이고, 외부에서 충격을 가하면 (나)는 이온 사이의 반발력에 의해 부서진다.

오개념 바로 알기 ㄷ. 고체일 때 전류가 흐르는 것은 금속 결합을 하는 (가)이다.

**06** $^9Be^{2+}$의 양성자수는 4, 중성자수는 9－4＝5, 전자 수는 4－2＝2이다.

오개념 바로 알기 ㄱ. $^7Li^+$의 양성자수는 3, 중성자수는 7－3＝4, 전자 수는 3－1＝2이다.

**07** 이온 결합 물질은 NaCl이고, 공유 결합 물질은 HCl, $H_2$, $Cl_2$이다.

**08** 아레니우스 염기는 물에 녹았을 때 수용액에서 $OH^-$을 내

놓는 물질이고, 브뢴스테드·로리 산은 양성자($H^+$)를 주는 물질이다.

**09** (가)는 정사면체형, (나)는 굽은 형 구조이다.

오개념 바로 알기 ③ (가)는 분자의 쌍극자 모멘트 합이 0이라 무극성 분자이고, (나)는 분자의 쌍극자 모멘트 합이 0이 아닌 극성 분자이다.

**10** $NH_4NO_3$이 용해되는 반응은 온도가 내려가므로 흡열 반응이다.

● 2회　　　　　　　　　　　　　　　　부록 9~10쪽

| 01 ③ | 02 ③ | 03 ④ | 04 ② | 05 ③ |
| 06 ⑤ | 07 ③ | 08 ③ | 09 ④ | 10 ④ |

**01** 암모니아의 합성은 질소 비료의 대량 생산을 가능하게 하였다.

오개념 바로 알기 ㄷ. 흡습성이 좋고 촉감이 좋은 것은 천연 섬유이다.

**02** 반응물의 종류는 2가지, 생성물은 1가지이고, 반응물과 생성물의 상태가 ($g$)인 것으로 보아 모두 기체임을 알 수 있다.

오개념 바로 알기 ㄷ. 계수비는 반응 몰비이지만 질량비는 아니다.

**03** 혼합 용액의 몰 농도를 이용하면 $x$를 구할 수 있다.
$1.2 \times 0.1 = 1 \times 0.08 + x \times 0.02$, $x = 2.0$이다.

**04** (가)는 메테인, (나)는 에탄올, (다)는 아세트산이다.

오개념 바로 알기 ㄱ. 메테인은 정사면체형의 무극성 분자로 물에 잘 녹지 않는다.
ㄴ. 분자당 탄소 원자 수는 (가)가 가장 작다.

**05** $p$ 오비탈의 방위 양자수($l$)는 1이다.

오개념 바로 알기 ㄷ. 스핀 양자수의 합은 0이 아니다.

**06** 양성자수가 15인 원소는 인(P)이다. 인의 전자 배치는 $1s^2 2s^2 2p^6 3s^2 3p^3$로 홀전자 수 $a = 3$이다. 주 양자수가 3인 전자 수 $b = 5$이고, 주 양자수가 2이고 부 양자수가 1인 오

비탈은 $2p$이므로 $c = 6$이다.

**07** (가)는 동적 평형 상태가 아니라 증발 속도가 더 빠르고 (나)는 동적 평형 상태이다.

오개념 바로 알기 ㄷ. 증발 속도는 (가)와 (나)가 같고 응축 속도는 (나) 상태가 될 때까지 점점 빨라진다.

**08** 산화수의 규칙에 따라 산화수를 구해 보면 다음과 같다.

| | | |
|---|---|---|
| $\overset{+2-2}{(가) NO}$ | $\overset{+2-1}{(나) OF_2}$ | $\overset{+2\ -2}{(다) MgO}$ |
| $\overset{+1-1}{(라) H_2O_2}$ | $\overset{+1\ +6-2}{(마) K_2Cr_2O_7}$ | $\overset{+1-1}{(바) KH}$ |

오개념 바로 알기 ③ 수소의 산화수는 (라)에서는 $+1$, (바)에서는 $-1$이다.

**09** 25 °C, 1기압에서 물의 이온화 상수는 $1.0 \times 10^{-14}$이므로 $pH + pOH = 14$이다.

오개념 바로 알기 ㄴ. (나)에서 $H_3O^+$의 양은 $0.01 \ M \times 0.1 \ L = 0.001$몰이다.

**10** 같은 주기에서 원자 반지름의 크기는 유효 핵전하가 클수록 작아진다. F이 O보다 유효 핵전하가 커서 전자를 떼기 힘드므로 제1 이온화 에너지는 F이 O보다 크다.

오개념 바로 알기 ㄱ. 유효 핵전하는 F이 더 크고 가려막기 효과도 F이 더 크다.

# 09 일차 수능 기초 예상 문제 1회

● 1회　　　　　　　　　　　　　　　　부록 3~8쪽

| 01 ④ | 02 ② | 03 ④ | 04 ③ | 05 ④ |
| 06 ② | 07 ⑤ | 08 ③ | 09 ③ | 10 ③ |
| 11 ⑤ | 12 ② | 13 ⑤ | 14 ② | 15 ③ |
| 16 ③ | 17 ③ | 18 ① | 19 ③ | 20 ② |

**01** (가)는 메테인, (나)는 아세트산, (다)는 에탄올이다. 아세트산은 산성이고, 에탄올은 물에 녹아 중성이다.

오개념 바로 알기 ㄴ. (나)는 아세트산이다.

**02** ㄴ. $H_2O_2$와 $H_2O$의 반응 몰비는 1 : 1이므로 $H_2O_2$ 1몰이 분해될 때 $H_2O$ 1몰이 생성된다.

오개념 바로 알기 ㄱ. ㉠은 $O_2$이다.

ㄷ. 1몰의 $H_2O_2$가 분해되면 물도 1몰 생성되므로 생성된 물의 질량은 18 g이다.

**03** 분자량으로 분자의 양(mol)을 구한 후 계수비를 이용해 생성물의 양을 구한다.

오개념 바로 알기 ㄴ. 메테인 16 g은 1몰이고 기체 1몰의 부피는 20 L이므로 메테인의 부피는 20 L이다.

**04** 프로페인($C_3H_8$)의 연소 반응은 다음과 같다.

$$C_3H_8(g) + 5O_2(g) \longrightarrow 3CO_2(g) + 4H_2O(l)$$

따라서 프로페인 22 g은 0.5몰이고, 산소 96 g은 3몰이다.

프로페인과 산소의 반응 몰비는 1 : 5이므로 프로페인은 모두 반응하고, 이산화 탄소는 1.5몰, 물은 2몰 생성된다. 따라서 생성된 이산화 탄소의 부피는 $1.5 \times 20 = 30$ L이고, 물의 질량은 $18 \times 2 = 36$ g이다.

**05**

| | $A(g)$ | $+$ | $B(g)$ | $\longrightarrow$ | $2C(g)$ |
|---|---|---|---|---|---|
| 반응 전(몰) | 2 | | 3 | | |
| 반응(몰) | $-2$ | | $-2$ | | $+4$ |
| 반응 후(몰) | 0 | | 1 | | 4 |

오개념 바로 알기 ㄱ. 기체의 양은 반응 전 5몰에서 반응 후 5몰이므로 반응해도 기체의 부피는 증가하지 않는다.

**06** 화학 반응식은 다음과 같다.

$$2HCl(aq) + Ca(OH)_2(s) \longrightarrow CaCl_2(aq) + 2H_2O(l)$$

5 M의 염산 200 mL 속 HCl의 양은 1몰이므로 수산화 칼슘은 0.5몰 반응한다. 수산화 칼슘 0.5몰의 질량은 37 g이므로 $100 - 37 = 63$ g이 남는다.

**07** $n + l = 2$의 경우는 $2s$이므로 $2s$의 전자 수는 2이고, 홀전자가 없으므로 스핀 자기 양자수의 합은 0이다.

오개념 바로 알기 ㄱ. 전자가 들어 있는 오비탈 수는 6이다.

**08** ㄱ. (가)는 pH가 1이다.

ㄷ. (가)의 $[OH^-] = 1 \times 10^{-13}$ M이고, (나)의 $[OH^-]$ $= 1 \times 10^{-11}$ M이다. 따라서 $[OH^-]$는 (나)가 (가)의 100배

이다.

오개념 바로 알기 ㄴ. (나)는 pH가 3이므로 산성이다.

문제 속 자료 분석 pH와 pOH

| 수용액 | (가) | (나) |
|---|---|---|
| $H_3O^+$의 양(mol) | $1 \times 10^{-2}$ | $2 \times 10^{-4}$ |
| 용액의 부피(mL) | 100 | 200 |

· 25 ℃에서 pH + pOH = 14이다.

· (가)에서 $[H_3O^+] = \dfrac{1 \times 10^{-2} \text{ mol}}{0.1 \text{ L}} = 1 \times 10^{-1}$ M이므로

$[OH^-] = \dfrac{1 \times 10^{-14}}{1 \times 10^{-1}} = 1 \times 10^{-13}$ M이다.

· (나)에서 $[H_3O^+] = \dfrac{2 \times 10^{-4} \text{ mol}}{0.2 \text{ L}} = 1 \times 10^{-3}$ M이므로

$[OH^-] = \dfrac{1 \times 10^{-14}}{1 \times 10^{-3}} = 1 \times 10^{-11}$ M이다.

· (가)의 pH는 1이므로 산성, (나)의 pH는 3이므로 산성이다.

**09** 원자를 구성하는 입자를 알아본다.

오개념 바로 알기 ㄷ. (가), (나)는 양이온이고, (다)는 음이온이다.

문제 속 자료 분석 원자를 구성하는 입자

| 이온 | 표시 | ㉠ 전자 수 | ㉡ 양성자수 | ㉢ 중성자수 |
|---|---|---|---|---|
| (가) | $^1H^+$ | 0 | 1 | 0 |
| (나) | $^7Li^+$ | 2 | 3 | 4 |
| (다) | $^{16}O^{2-}$ | 10 | 8 | 8 |

· 양성자수는 0이 될 수 없으므로 ㉡이 양성자수이다.

· 이온 (다)에서 ㉡ 양성자수 $=$ ㉢이므로 ㉢은 중성자수이다. 따라서 ㉠은 전자 수이다.

**10** 표로 정리하면 다음과 같다.

| 구분 | HCl의 양 (mol) | NaOH의 양 (mol) | 액성 |
|---|---|---|---|
| (가) | $2a$ | 0.1 | 염기성 |
| (나) | 0.2 | $2b$ | 염기성 |
| (다) | $3a$ | $2b$ | ㉠ |

(가)에서 염기성인 것은 $2a < 0.1$이므로, $a < 0.05$이다. (나)에서 염기성인 것은 $0.2 < 2b$이므로 $0.1 < b$이다. 따라서 (다)에서 $3a < 0.15$이고, $0.2 < 2b$이므로, 용액의 액성은 염기성이다.

ㄷ. (다)에서 ㉠은 염기성이다.

**11** ㄱ. X는 플루오린(F), Y는 질소(N), Z는 네온(Ne)이다.

ㄴ. 원자 반지름은 N>F이다.

ㄷ. 홀전자 수는 N>Ne이다.

| 원자 | F | N | Ne |
|---|---|---|---|
| 전자 수 | 9 | 7 | 10 |
| 원자가 전자 수 | 7 | 5 | 0 |
| 홀전자 수 | 1 | 3 | 0 |

**12** ㄱ. $XH_3$은 극성 분자이고, $YH_4$는 무극성 분자이다.

ㄴ. 분자 사이의 인력은 극성 분자>무극성 분자이다.

ㄷ. $YH_4$는 무극성 분자이므로 삼각뿔 형이 아니다.

**극성과 무극성**

- $XH_3$ 분자가 나란하게 전기장 속에 배열되는데, 이는 극성이기 때문이다.
- $YH_4$ 분자가 불규칙하게 배열되는 것으로 보아 무극성이라 전류가 흘러도 끌려가지 않는다.

**13** 이온 결합에서 물질의 녹는점은 이온의 전하량에 비례하고, 양이온과 음이온 사이의 거리의 제곱에 반비례한다. 따라서 녹는점이 가장 높은 NaF이 이온 사이의 정전기적 인력이 가장 크다고 할 수 있다.

**14** 학생 C. 기체가 물에 녹아 동적 평형 상태에 도달하는 용해 평형도 있다.

학생 A. 물질의 양이 변하지 않아도 정반응과 역반응이 끊임없이 진행된다.

학생 B. 반응물의 농도는 점점 감소하다가 동적 평형에 도달하면 더 이상 농도의 변화가 없다.

**15** 화학 반응이 일어날 때 발열 반응은 열을 방출하고, 흡열 반응은 열을 흡수한다.

ㄷ. 광합성은 에너지를 흡수하여 포도당을 생성하므로 흡열 과정이다.

**발열 반응과 흡열 반응**

① 발열 반응
- 화학 반응이 일어날 때 열을 방출하는 반응
- 생성물의 에너지 합<반응물의 에너지 합이므로 반응하면서 열을 방출한다.
- 열을 방출하므로 주위의 온도가 높아진다.
- 예 수증기의 액화, 물의 응고와 같은 상태 변화, 연소 반응, 손난로(철 가루가 산화되면서 열 방출)

② 흡열 반응
- 화학 반응이 일어날 때 열을 흡수하는 반응
- 생성물의 에너지 합>반응물의 에너지 합이므로 반응하면서 열을 흡수한다.
- 열을 흡수하므로 주위의 온도가 낮아진다.
- 예 물의 기화, 얼음의 융해와 같은 상태 변화, 광합성, 냉각 팩(질산 암모늄이 물에 용해될 때 열 흡수)

**16** X의 전기 음성도가 Y, Z보다 작기 때문에 전자쌍들은 Y, Z로 치우치고 Z는 2중 결합이므로 전자쌍 2개가 치우쳐 산화수는 $-2$이다.

W와 X 사이에는 X 쪽으로 전자쌍이 치우치므로, X는 $+2$이다.

**전기 음성도와 산화수**

$$\overset{+1}{W}-\overset{+2}{X}=\overset{-2}{\ddot{\underset{..}{Z}}}$$
$$\underset{-1}{\overset{|}{:\ddot{Y}:}}$$

- 구성 원소의 전기 음성도는 W<X<Y<Z이므로 W의 산화수는 $+1$이고, Y의 산화수는 $-1$, Z의 산화수는 $-2$이다.
- X의 산화수는 $-1+(+1)+(+2)=+2$이다.
- X와 Z의 산화수 합은 $+2-2=0$이다.

**17** 다음을 통해 브뢴스테드·로리 산을 알 수 있다.

(가) $\underset{산}{HNO_3(aq)} + \underset{염기}{H_2O(l)} \longrightarrow NO_3^-(aq) + H_3O^+(aq)$

(나) $\underset{산}{HCOOH(aq)} + \underset{염기}{H_2O(l)} \longrightarrow HCOO^-(aq) + H_3O^+(aq)$

(다) $\underset{염기}{F^-(aq)} + \underset{산}{H_2O(l)} \longrightarrow HF(aq) + OH^-(aq)$

**18** ㄱ. (가)는 쌍극자 모멘트가 0인 무극성 분자이다.

ㄴ, ㄷ. (가)는 공유 전자쌍이 4개, 비공

유 전자쌍이 4개 있다. (나)는 입체 구조인 극성 분자이고 공유 전자쌍이 5개, 비공유 전자쌍이 2개 있다.

---

**문제 속 자료 분석**　분자의 구조와 극성

$$:\ddot{O}::C::\ddot{O}:$$

$$H:\ddot{N}:\ddot{N}:H$$
$$\phantom{H:}H\phantom{:N:N:}H$$

　　(가)　　　　　　　　　　(나)

| 분자 | $CO_2$ | $N_2H_4$ |
|---|---|---|
| 공유 전자쌍 수 | 4 | 5 |
| 비공유 전자쌍 수 | 4 | 2 |
| 분자 구조 | 직선형(평면) | 입체 |
| 분자의 쌍극자 모멘트 | 0 | 0이 아님 |
| 극성 유무 | 무극성 | 극성 |

---

**19** ㄱ. 화학 반응식의 계수를 맞추면 다음과 같다.

$$SO_2 + 2H_2S \longrightarrow 2H_2O + 3S$$

$a=1$, $b=3$이다.

ㄴ. $SO_2$에서 S의 산화수는 $+4$이다.

**오개념 바로 알기** ㄷ. $H_2S$는 산화수가 증가하므로 산화되고, 다른 물질을 환원시키는 환원제로 사용된다.

**20** ㄴ. $2s$는 숫자 버튼 2를 1회 눌러야 하므로 D이다.

**오개념 바로 알기** ㄱ. $1s$는 숫자 버튼 1을 1회 눌러야 하므로 A이다.

ㄷ. $3p$는 숫자 버튼 3을 2회 눌러야 하므로 H이다.

---

| ● 2회 | | | 부록 11~16쪽 | |
|---|---|---|---|---|
| **01** ③ | **02** ④ | **03** ⑤ | **04** ⑤ | **05** ③ |
| **06** ② | **07** ④ | **08** ④ | **09** ③ | **10** ⑤ |
| **11** ② | **12** ① | **13** ⑤ | **14** ② | **15** ⑤ |
| **16** ② | **17** ④ | **18** ④ | **19** ③ | **20** ① |

**01** ㄱ. (가)~(다)의 분자당 탄소 수는 2로 같다.

ㄷ. 완전 연소할 때 $H_2O$이 가장 많이 생성되는 분자는 수소(H)의 개수가 가장 많은 (가)이다.

**오개념 바로 알기** ㄴ. (가)는 에탄올, (나)는 아세트알데하이드, (다)는 아세트산이다.

---

**문제 속 자료 분석**　탄소 화합물

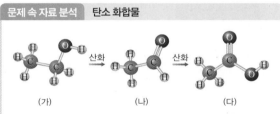

　　(가)　　　　　　(나)　　　　　　(다)

・(가)는 에탄올($C_2H_5OH$)이다. 분자당 탄소 수는 2, 수소 수는 6, 산소 수는 1이다. 수용액에서 중성이고 소독제, 연료 등으로 사용된다.

・(나)는 아세트알데하이드($CH_3CHO$)이다. 분자당 탄소 수는 2, 수소 수는 4, 산소 수는 1이다.

・(다)는 아세트산($CH_3COOH$)이다. 분자당 탄소 수는 2, 수소 수는 4, 산소 수는 2이다.

・탄소 화합물을 완전 연소시키면 이산화 탄소와 물이 생성된다.

---

**02** A는 10.8 g이므로 0.1몰이다.

B는 90 mL이므로 액체의 밀도를 이용하면 90 g임을 알 수 있고, 화학식량인 18로 나누면 5몰이다.

C는 5 L이고 1몰의 부피가 25 L이므로 0.2몰이다. 따라서 물질의 양은 B>C>A이다.

**03** ㄱ. $6CO_2 + 6H_2O \longrightarrow C_6H_{12}O_6 + 6O_2$이므로, $a=6$, $b=1$이다.

ㄴ. X는 포도당 1몰의 질량이다.

ㄷ. 포도당 18 g은 0.1몰이므로 계수비로부터 필요한 이산화 탄소의 양은 0.6몰이다.

**04** (가)의 포도당의 양은 $0.05 \times 2 = 0.1$몰이고, (나)의 포도당의 양은 $\dfrac{200 \times 0.3}{180} = \dfrac{1}{3}$몰이고, (다)의 포도당의 양은 $0.1 \times 1 = 0.1$몰이다.

**오개념 바로 알기** ㄱ. 포도당의 질량은 양(mol)이 큰 (나)가 (가)보다 크다.

**05** 표를 해석하면 아래와 같다.

| 오비탈 | (가) | (나) | (다) |
|---|---|---|---|
| | $1s$ | $2s$ | $2p$ |
| $n$ | 1 | $x=2$ | 2 |
| $l$ | $y=0$ | 0 | 1 |

**오개념 바로 알기** ㄷ. 수소 원자에서는 주 양자수만 같으면 부 양자수에 관계없이 오비탈의 에너지 준위가 같다.

**06** ㄴ. (가)는 $CO_2$, (나)는 $NH_3$, (다)는 $H_2O$이다. (가)~(다)의 결합각은 각각 180°, 107°, 104.5°이다.

**오개념 바로 알기** ㄱ. (가)의 분자 구조는 직선형이다.

ㄷ. 분자의 쌍극자 모멘트는 (다)>(가)이다.

**문제 속 자료 분석** 분자의 구조와 극성

| 분자 | (다) | (가) | (나) |
|---|---|---|---|
| 분자식 | $H_2O$ | $CO_2$ | $NH_3$ |
| 비공유 전자쌍 수 | 2 | 4 | 1 |
| 분자 구조 | 굽은 형 (평면) | 직선형 (평면) | 삼각뿔형 (입체) |
| 결합각 | 104.5° | 180° | 107° |
| 분자의 쌍극자 모멘트 | 0보다 큼 (극성) | 0 (무극성) | 0보다 큼 (극성) |

- 구성 원소의 전기 음성도는 O>N>C>H이므로 (다)는 $H_2O$이다.
- 비공유 전자쌍은 (다)가 2이므로 (가)는 $CO_2$이다. 따라서 (나)는 $NH_3$이다.

**07** A는 수소(H), B는 붕소(B), C는 질소(N), D는 플루오린(F)이다.

| 분자 | 해당 분자 | 비공유 전자쌍 수 |
|---|---|---|
| $BA_3$ | $BH_3$ | 0 |
| $CA_3$ | $NH_3$ | 1 |
| $BD_3$ | $BF_3$ | 9 |
| $C_2D_2$ | $N_2F_2$ | 8 |
| $AC_2D$ | $HN_2F$ | 5 |

**08** A(Mg)의 홀전자 수는 0, B(Ca)의 홀전자 수는 0이다. 전자가 들어 있는 오비탈의 수는 A : B = 6 : 10 = 3 : 5 이다.

**오개념 바로 알기** ㄴ. A는 3주기, B는 4주기이다.

**09** 상온에서 결정 상태로 존재하고, 녹는점과 끓는점이 높으며, 고체 상태에서는 전기 전도성이 없지만, 용융 상태나 수용액 상태가 되면 전기 전도성이 있는 것은 이온 결합 물질이다.

**오개념 바로 알기** $CO_2$, HCl, $NF_3$는 공유 결합 물질이고 Cu는 금속 결합 물질이다.

**10** A와 B는 동위 원소이고 D와 E가 동위 원소임을 알 수 있다. 양성자수는 원자 번호와 같다.

**문제 속 자료 분석** 원자를 구성하는 입자

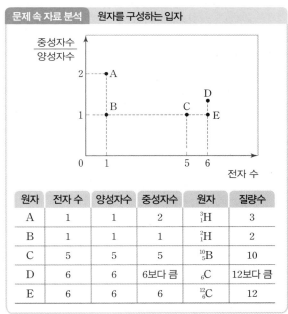

| 원자 | 전자 수 | 양성자수 | 중성자수 | 원자 | 질량수 |
|---|---|---|---|---|---|
| A | 1 | 1 | 2 | $^3_1H$ | 3 |
| B | 1 | 1 | 1 | $^2_1H$ | 2 |
| C | 5 | 5 | 5 | $^{10}_5B$ | 10 |
| D | 6 | 6 | 6보다 큼 | $_6C$ | 12보다 큼 |
| E | 6 | 6 | 6 | $^{12}_6C$ | 12 |

**11** ㄴ. 이온 결합은 에너지가 가장 낮은 지점에서 형성된다. 따라서 가장 안정한 상태일 때의 이온 사이의 거리는 에너지가 가장 낮은 지점에서의 거리이다. 이온 사이의 거리가 멀수록 녹는점은 낮아진다. 1기압에서 녹는점은 이온 사이의 거리가 더 짧은 NaX가 더 높다.

**오개념 바로 알기** ㄱ. $x < 236$이다.

ㄷ. (가)에서는 반발력보다 인력이 더 우세하다.

**12** ㄱ. 원자에서 양성자수는 전자 수와 같다. X와 Y는 양성자수가 같으므로 동위 원소이다.

ㄴ. Y는 양성자수가 $N$이고 중성자수가 $2N$이므로 질량수는 $3N$이다.

ㄷ. $a$, $b$는 각각 양성자, 전자 중 하나이다. $c$는 중성자이다.

---

**문제 속 자료 분석  원자의 구성 입자**

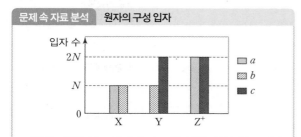

- 원자는 양성자수＝전자 수이고, 양이온은 양성자수＞전자 수이다.
- 질량수＝양성자수 ＋ 중성자수이다.
- 동위 원소는 양성자수가 같고 중성자수가 다른 원소이다.
- 원자 Y는 양성자수＝전자 수이므로 $b$와 $c$는 각각 양성자와 전자 중 하나가 될 수 없고, $b$와 $c$ 중 하나는 중성자이다.
- 이온 $Z^+$은 양성자수≠전자 수이므로 $a$와 $c$는 각각 양성자와 전자 중 하나가 될 수 없고, $a$, $c$ 중 하나는 중성자이다. 따라서 $c$는 중성자이고, $a$, $b$는 각각 양성자, 전자 중 하나이다.
- Y의 질량수＝양성자수($N$) ＋ 중성자수($2N$)＝$3N$이다.

---

**13** AB는 이온 결합 물질이고, $CB_2$는 공유 결합 물질이다. AB는 NaF이고, $CB_2$는 $OF_2$이고 구성 원자는 모두 옥텟 규칙을 만족한다.

**14** 동적 평형에서 용해와 석출은 계속 일어난다.

ㄴ. $Na^+(aq)$의 수는 (나)＞(가)이다.

ㄱ. (나)에서도 계속 용해가 일어나고 있다.

ㄷ. (가)에서 용해 속도＞석출 속도이다.

**15** (가)는 $CH_4$, (나)는 $NH_3$, (다)는 $H_2O$, (라)는 HF이다.

**문제 속 자료 분석  분자의 구조**

| | (공유 전자쌍 수) | (비공유 전자쌍 수) | 분자 |
|---|---|---|---|
| (가) | 4 | 0 | $CH_4$ |
| (나) | 3 | 1 | $NH_3$ |
| (다) | 2 | 2 | $H_2O$ |
| (라) | 1 | 3 | HF |

**16** (가)는 굽은 형, (나)는 평면 삼각형, (다)는 굽은 형이고 세 분자 모두 극성 분자이다.

**17** ㄴ. pH는 X는 3, Y는 9, Z는 4이다. pH는 $-\log[H_3O^+]$이다. $[H_3O^+]$는 X가 $10^{-3}$, Z가 $10^{-4}$이다.

ㄷ. $H_3O^+$의 양은 X는 $2 \times 10^{-4}$몰이고, Y는 $5 \times 10^{-10}$몰이고, Z는 $10^{-5}$몰이다.

ㄱ. (가)에서 Y가 염기성인데 5인 것으로 보아 비커에 표시된 숫자는 모두 pH는 아니다. X는 pH, Y와 Z는 pOH로 표시되었다.

**18** $H_2O$의 결합각은 104.5°, $CH_4$는 109.5°이므로 $\alpha=104.5°$, $\beta=109.5°$이다. $NH_3$는 107°이므로 Ⅱ영역이고, $BCl_3$는 120°이므로 Ⅲ영역이다.

**19** 산화 환원 반응식은 다음과 같다.

$$BrO_3^- + 6I^- + 6H^+ \longrightarrow Br^- + 3I_2 + 3H_2O$$

ㄱ. Br은 산화수가 ＋5에서 －1로 감소하므로 $BrO_3^-$은 환원되었다.

ㄷ. I의 산화수는 －1에서 0으로 증가하므로 $I^-$은 산화되어 환원제로 작용한다.

ㄴ. $a=6$, $b=6$, $c=3$, $d=3$이다.

**20** ㄱ. 물이 얼음이 되는 것은 주위에 열을 빼앗긴 것인데, 수산화 바륨 팔수화물과 염화 암모늄의 반응이 열을 흡수했기 때문이다.

ㄴ. 플라스크와 나무 사이의 물이 얼음이 되면서 주위에서 열을 흡수하였다.

ㄷ. 산과 염기의 중화 반응은 대표적인 발열 반응이다.

중간·기말 대비, 7일이면 충분해!

# 7일 끝 시리즈

## 초단기 시험 대비

시험에 꼭 나오는 핵심만 콕콕!
학습량은 줄이고 효율은 높여
7일 안에 중간·기말고사 최적 대비!

## 중하위권 기초 다지기

시험이 두려운 중하위권들을 위해
쉽지만 꼭 풀어봐야 할 문제들만 모아
기초를 확실하게 다져주는 교재!

## 다양한 기출·예상 문제

학교 내신 빈출 문제는 물론,
창의·융합형, 서술형, 신유형 등
다양한 문제 수록으로 철저한 시험 대비!

### 내신 대비, 늦었다고 생각할 때가 제일 빠르다!

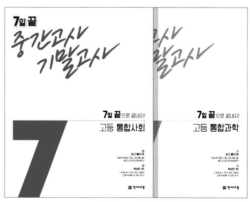

**국어:** 고1~3 / 저자별 총 6권(국어(상), 국어(하), 문학, 독서, 화법과 작문, 언어와 매체)

**수학:** 고1~2 / 총 4권(수학(상), 수학(하), 수학Ⅰ, 수학Ⅱ)

**영어:** 어법·구문 / 총 2권(내신 기반 다지기)

**사회:** 고1~3 / 총 5권(한국사, 통합사회, 사회·문화, 한국 지리, 생활과 윤리)
　　　※한국사: 고1~2/2022년부터 고3 동일 적용

**과학:** 고1~3 / 총 5권(통합과학, 물리학Ⅰ, 화학Ⅰ, 생명과학Ⅰ, 지구과학Ⅰ)

정답은
이안에
있어 !

# 수능 기초,
# 10일 만에 격파!

## 국어

**어: 고1~3 (독서, 문학)**

## ✦수학

**수학: 고2~3 (수학 I, 수학 II)**

## ✦영어

**영어: 고1~3 (듣기, 독해)**

## 사회

**회: 고2~3 (한국지리, 한국사(고2), 생활과 윤리, 사회문화)**

## ✦과학

**과학: 고2~3 (물리학 I, 화학 I, 생명과학 I, 지구과학 I)**

# 배움으로 행복한 내일을 꿈꾸는
# 천재교육 커뮤니티 안내

. . .

교재 안내부터 구매까지 한 번에!
## 천재교육 홈페이지

천재교육 홈페이지에서는 자사가 발행하는 참고서,
교과서에 대한 소개는 물론 도서 구매도 할 수 있습니다.
회원에게 지급되는 별을 모아 다양한 상품 응모에도
도전해 보세요.

구독, 좋아요는 필수! 핵유용 정보 가득한
## 천재교육 유튜브 <천재TV>

신간에 대한 자세한 정보가 궁금하세요?
참고서를 어떻게 활용해야 할지 고민인가요?
공부 외 다양한 고민을 해결해 줄 채널이 필요한가요?
학생들에게 꼭 필요한 콘텐츠로 가득한 천재TV로 놀러 오세요!

다양한 교육 꿀팁에 깜짝 이벤트는 덤!
## 천재교육 인스타그램

천재교육의 새롭고 중요한 소식을 가장 먼저 접하고 싶다면?
천재교육 인스타그램 팔로우가 필수!
누구보다 빠르고 재미있게 천재교육의 소식을 전달합니다.
깜짝 이벤트도 수시로 진행되니 놓치지 마세요!

수능 **포기자**를 위한 단 하나의 대책

# 10일 격파 시리즈

## 초단기 수능 기초

어렵게만 느껴졌던 수능은 BYE~
핵심 개념&유형만 쏙쏙 담아
10일 안에 수능 기초 다지기!

## 수능 빈출 유형 정복

수능에 자주 출제되는 문제를
집중 연습하여 실력을 점검하고
빠르게 수능 빈출 유형 마스터!

## 실전 감각 익히기

모의고사 형식의 수능 실전 문제로
단기간에 시험 감각을 익혀
실제 수능에서도 자신감 UP!

## 수능 기초, 쉽게 접근하고 빠르게 끝내자!

**국어:** 고1~3 / 문학, 독서
**수학:** 고2~3 / 수학 I, 수학 II
**영어:** 고1~3 / 듣기, 독해

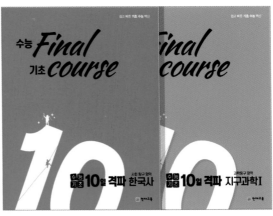

**사회:** 고2~3 / 한국사(고2), 한국지리, 생활과 윤리, 사회문화
**과학:** 고2~3 / 물리학 I, 화학 I, 생명과학 I, 지구과학 I

# book.chunjae.co.kr

| | |
|---|---|
| **교재 내용 문의** ·················· | 교재 홈페이지 ▶ 고등 ▶ 교재상담 |
| **교재 내용 외 문의** ·············· | 교재 홈페이지 ▶ 고객센터 ▶ 1:1문의 |
| **발간 후 발견되는 오류** ·········· | 교재 홈페이지 ▶ 고등 ▶ 학습지원 ▶ 학습자료실 |

53400

9 791125 962755

ISBN 979-11-259-6275-5

정가 14,000원